#홈스쿨링
#혼자 공부하기

똑똑한
하루 한자

똑똑한 하루 한자
시리즈 구성 〔예비초~4단계〕

우리 아이 한자 학습 첫걸음

8급

1단계 Ⓐ, Ⓑ, Ⓒ

7급 II

2단계 Ⓐ, Ⓑ, Ⓒ

7급

3단계 Ⓐ, Ⓑ, Ⓒ

6급 II

4단계 Ⓐ, Ⓑ, Ⓒ

똑똑한 **하루 한자**

4주 완성 스케줄표

3단계 B

1주

1일 10~19쪽	2일 20~25쪽	3일 26~31쪽	4일 32~37쪽	5일 38~43쪽	특강
사람 한자	사람 한자	사람 한자	사람 한자	사람 한자	
面 낯 면 色 빛 색	食 밥/먹을 식 口 입 구	先 먼저 선 祖 할아버지 조	父 아버지 부 母 어머니 모	三 석 삼 寸 마디 촌	44~51쪽
월 일	월 일	월 일	월 일	월 일	월 일

힘을 내! 넌 최고야!

2주

1일 52~61쪽	2일 62~67쪽	3일 68~73쪽	4일 74~79쪽	5일 80~85쪽	특강
사람 한자	사람 한자	사람 한자	사람 한자	사람 한자	
農 농사 농 夫 지아비 부	歌 노래 가 手 손 수	男 사내 남 女 여자 녀	老 늙을 로 少 적을 소	人 사람 인 間 사이 간	86~93쪽
월 일	월 일	월 일	월 일	월 일	월 일

배운 내용은 꼭꼭 복습하기!

3주

1일 94~103쪽	2일 104~109쪽	3일 110~115쪽	4일 116~121쪽	5일 122~127쪽	특강
사는 곳 한자	사는 곳 한자	사는 곳 한자	사는 곳 한자	사는 곳 한자	
洞 골 동/밝을 통 邑 고을 읍	村 마을 촌 里 마을 리	住 살 주 民 백성 민	國 나라 국 家 집 가	世 인간 세 上 윗 상	128~135쪽
월 일	월 일	월 일	월 일	월 일	월 일

마지막 4주 공부 중. 감동이야!

4주

1일 136~145쪽	2일 146~151쪽	3일 152~157쪽	4일 158~163쪽	5일 164~169쪽	특강
기타 한자	기타 한자	기타 한자	기타 한자	기타 한자	
出 날 출 入 들 입	白 흰 백 旗 기 기	中 가운데 중 心 마음 심	所 바 소 有 있을 유	直 곧을 직 立 설 립	170~177쪽
월 일	월 일	월 일	월 일	월 일	월 일

Chunjae
Makes
Chunjae

▼

똑똑한 하루 한자 3단계 B

편집개발	장미영, 강혜정, 최은혜
디자인총괄	김희정
표지디자인	윤순미
내지디자인	박희춘, 조유정
삽화	이영호, 이예지, 이혜승, 장현아
제작	황성진, 조규영

발행일	2022년 2월 1일 초판 2022년 2월 1일 1쇄
발행인	(주)천재교육
주소	서울시 금천구 가산로9길 54
신고번호	제2001-000018호
고객센터	1577-0902

똑 똑 한

하루
한자

3 단계
B
7급 기초2

구성과 활용 방법

한 주 미리보기

미리보기 활동

미리보기 만화

일일 학습

이야기를 읽으며
오늘 배울 한자를 만나요.

QR 코드 속 영상을 보며
한자를 따라 써요.

재미있는 만화로 생활 속 한자어를 익혀요.

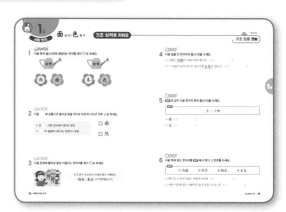

핵심 문제로 기초 실력을 키워요.

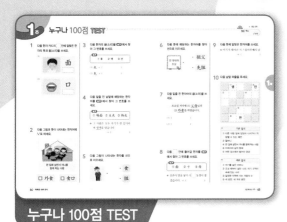

한 주 마무리

누구나 100점 TEST

문제를 풀며 한 주 동안
배운 내용을 확인해요.

특강

생각을 키워요

창의·융합·코딩 문제로
재미는 솔솔, 사고력은 쑥쑥!

부록

한자 카드로 더욱
재미있게 공부해요!

7급 배정 한자 총 150자

♥ ☐은 3단계-B 학습 한자입니다.

ㄱ				
歌	家	間	江	車
노래 가	집 가	사이 간	강 강	수레 거/차
空	工	敎	校	九
빌 공	장인 공	가르칠 교	학교 교	아홉 구
口	國	軍	金	旗
입 구	나라 국	군사 군	쇠 금/성 김	기 기
記	氣	南	男	內
기록할 기	기운 기	남녘 남	사내 남	안 내
女	年	農	答	大
여자 녀	해 년	농사 농	대답 답	큰 대
道	冬	洞	東	動
길 도	겨울 동	골 동/밝을 통	동녘 동	움직일 동
同	登	來	力	老
한가지 동	오를 등	올 래	힘 력	늙을 로
六	里	林	立	萬
여섯 륙	마을 리	수풀 림	설 립	일만 만
每	面	命	名	母
매양 매	낯 면	목숨 명	이름 명	어머니 모
木	文	門	問	物
나무 목	글월 문	문 문	물을 문	물건 물

民	ㅂ 方	百	白	父
백성 민	모 방	일백 백	흰 백	아버지 부
夫	北	不	ㅅ 四	事
지아비 부	북녘 북/달아날 배	아닐 불	넉 사	일 사
山	算	三	上	色
메 산	셈 산	석 삼	윗 상	빛 색
生	西	夕	先	姓
날 생	서녘 서	저녁 석	먼저 선	성 성
世	所	小	少	水
인간 세	바 소	작을 소	적을 소	물 수
數	手	時	市	食
셈 수	손 수	때 시	저자 시	밥/먹을 식
植	室	心	十	ㅇ 安
심을 식	집 실	마음 심	열 십	편안 안
語	然	午	五	王
말씀 어	그럴 연	낮 오	다섯 오	임금 왕
外	右	月	有	育
바깥 외	오른 우	달 월	있을 유	기를 육
邑	二	人	日	一
고을 읍	두 이	사람 인	날 일	한 일
入	ㅈ 字	自	子	長
들 입	글자 자	스스로 자	아들 자	긴 장

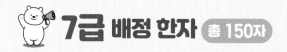

7급 배정 한자 총 150자

場	電	前	全	正
마당 장	번개 전	앞 전	온전 전	바를 정
弟	祖	足	左	住
아우 제	할아버지 조	발 족	왼 좌	살 주
主	中	重	地	紙
임금/주인 주	가운데 중	무거울 중	땅 지	종이 지
直	ㅊ 川	千	天	靑
곧을 직	내 천	일천 천	하늘 천	푸를 청
草	寸	村	秋	春
풀 초	마디 촌	마을 촌	가을 추	봄 춘
出	七	ㅌ 土	ㅍ 八	便
날 출	일곱 칠	흙 토	여덟 팔	편할 편/똥오줌 변
平	ㅎ 下	夏	學	韓
평평할 평	아래 하	여름 하	배울 학	한국/나라 한
漢	海	兄	花	話
한수/한나라 한	바다 해	형 형	꽃 화	말씀 화
火	活	孝	後	休
불 화	살 활	효도 효	뒤 후	쉴 휴

함께 공부할 친구들

주 미리보기 에서 만나요!

무엇이든 척척 해결하는
명랑 탐정

놀라운 추리력의 소유자
초롱 탐정

본문 에서 만나요!

씩씩하고 유쾌한 친구
우주

마음이 따뜻하고
똑똑한 친구 **노을**

탐정님, 저 좀 도와주세요!

무슨 일이죠?

돌아가신 할아버지께서 보내신 편지예요. 제비가 저에게 주고 갔어요.

흥미롭군요. 한번 볼까요?

어려움을 겪고 있을 손자에게

　우리 집안은 先祖 때부터 대대로 가족들이 화목하게 지냈다. 하지만 지금은 그렇지 않은 것 같구나. 네 父母의 욕심으로 三寸 食口를 쫓아내고, 面色 하나 변하지 않고 도와달라는 三寸의 뺨을 밥주걱으로 후려쳤으며, 부자가 되고 싶어 멀쩡한 제비의 다리를 부러뜨렸으니 벌을 받아 마땅하다.

　하지만 이제 네 父母가 진심으로 잘못을 뉘우치고 있으니 三寸을 찾아가거라. 심성이 착한 三寸이 너희를 도와줄 것이다.

할아버지가

흠, 지금 가족들이 어떤 어려움을 겪고 있나요?

부모님의 욕심으로 집이 망했습니다.

1일 面 낯 면 | 色 빛 색 **2일** 食 밥/먹을 식 | 口 입 구 **3일** 先 먼저 선 | 祖 할아버지 조

4일 父 아버지 부 | 母 어머니 모 **5일** 三 석 삼 | 寸 마디 촌

1주

여기 나온 한자를 알아야 해. 아마도 가족과 관련된 한자들인 것 같아.

그럼 같이 한자를 공부하며 편지를 다시 읽어 보자.

어려움을 겪고 있을 손자에게

우리 집안은 선조 때부터 대대로 가족들이 화목하게 지냈다. 하지만 지금은 그렇지 않은 것 같구나. 네 부모의 욕심으로 삼촌 식구를 쫓아내고, 면색 하나 변하지 않고 도와달라는 삼촌의 뺨을 밥주걱으로 후려쳤으며, 부자가 되고 싶어 멀쩡한 제비의 다리를 부러뜨렸으니 벌을 받아 마땅하다.

하지만 이제 네 부모가 진심으로 잘못을 뉘우치고 있으니 삼촌을 찾아가거라. 심성이 착한 삼촌이 너희를 도와줄 것이다.

할아버지가

삼촌을 찾아가야겠어요. 부모님께서 진심으로 잘못을 뉘우치고 계시니 다시 화해할 수 있을 것 같아요.

앞으로 두 형제 가족이 서로 도우며 행복하게 살길 바랄게요.

나도 앞으로 동생과 사이좋게 지내야겠어.

아까도 동생 과자를 뺏어 먹겠다고 싸우지 않았니?

앗, 하하……

이번 주에 배울 한자들이 그림 속에 숨어 있어요. 보기 의 순서대로 한자를 찾아 따라가 놀부 가족이 삼촌을 만날 수 있게 해 주세요.

정답 2쪽

3단계-B 1주 • 13

보기

面 낯 면 → 色 빛 색 → 食 밥/먹을 식 → 口 입 구 → 先 먼저 선
→ 祖 할아버지 조 → 父 아버지 부 → 母 어머니 모 → 三 석 삼 → 寸 마디 촌

面 色

낯 면   빛 색

🔍 다음 글을 읽고, 오늘 배울 한자를 확인해 보세요.

오늘 배울 한자

面 色

낯 면   빛 색

이번 학예회에서 우리 반은 연극을 하기로 했습니다.

나는 주인공 역을 맡고 싶습니다.

주인공은 얼굴[面]이 잘생겨야 할까요? 연기를 잘해야 할까요?

중요한 장면(面)은 어떻게 해야 인상 깊게 연기할 수 있을까요?

색색(色色)의 조명이 비추는 무대 위에서

나의 멋진 모습을 뽐내고 싶어요.

✏️ **연하게 쓰인 한자를 따라 써 본 후, 빈칸에 바르게 쓰세요.**

낯 면

사람의 머리, 눈 등의 얼굴 모습을 본뜬 글자로, 낯을 뜻해요. '낯'은 '얼굴'이라는 의미예요.

QR을 보며 따라 써요!

面	面	面	面	面	面
낯 면	낯 면	낯 면	낯 면	낯 면	낯 면

1주

빛 색

사람이 무릎 꿇고 나란히 앉아 있는 모습을 본뜬 글자로, 얼굴빛, 색채 등을 뜻해요.

QR을 보며 따라 써요!

色	色	色	色	色	色
빛 색	빛 색	빛 색	빛 색	빛 색	빛 색

面 낯 면 | 色 빛 색

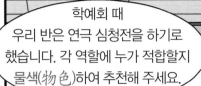

학예회 때 우리 반은 연극 심청전을 하기로 했습니다. 각 역할에 누가 적합할지 물색(物色)하여 추천해 주세요.

저는 노을이가 감정 표현을 잘하니 심청이 역할에 적합하다고 생각합니다.

여러분이 원한다면 마다하지 않겠습니다. 저는 내면(內面) 연기에 자신 있습니다!

생색(生色)을 내려는 것은 아니지만, 저는 유치원 때부터 주인공 역을 많이 맡았습니다. 심봉사 역은 제가 가장 잘할 수 있지 않겠습니까?

그럼 우주가 심봉사 역할을 하는 걸로 합시다.

며칠 후

이 부분이 가장 중요한 장면(場面)이야. 그렇게 그리워하던 아버지와 딸이 만나게 됐어.

어떤 감정이 들지 잘 표현해 봐.

아버지, 저 청이에요. 눈을 뜨세요.

아이고, 네가 정말 내 딸 청이란 말이냐······.

뻣 뻣

저건 발 연기에 가까운데, 어쩌지? 쟤네 면색(面色) 좀 봐. 붉으락푸르락해.

몇 번을 연습해도 나아질 기색(氣色)이 전혀 보이질 않아.

🔍 '面(낯 면)'과 '色(빛 색)'이 들어간 한자어를 알아봅시다.

 낯 면

 빛 색

내면(内面)

内	
안 내	낯 면

뜻 밖으로 드러나지 않는 사람의 속마음

물색(物色)

物	
물건 물	빛 색

뜻 어떤 기준에 맞는 사람이나 물건 등을 고르는 일

장면(場面)

場	
마당 장	낯 면

뜻 어떤 장소에서 벌어진 광경

생색(生色)

生	
날 생	빛 색

뜻 다른 사람 앞에 당당히 나서거나 자랑할 수 있는 체면

면색(面色)

色	
낯 면	빛 색

뜻 얼굴에 나타나는 표정이나 빛깔

기색(氣色)

氣	
기운 기	빛 색

뜻 얼굴에 나타나는 빛. 어떤 행동, 현상 등이 일어날 것을 알 수 있게 해 주는 낌새

面 낯 면 | 色 빛 색

기초 실력을 키워요

😊 한자 확인

1 다음 뜻과 음(소리)에 해당하는 한자를 찾아 ◯표 하세요.

낯 면

빛 색

西

面

冬

色

😊 어휘 확인

2 다음 ◯에 공통으로 들어갈 말을 한자로 바르게 나타낸 것에 ⋁표 하세요.

- 장◯ : 어떤 장소에서 벌어진 광경
- ◯색: 얼굴에 나타나는 표정이나 빛깔

☐ 面

☐ 然

😊 어휘 확인

3 다음 문장에 들어갈 말로 어울리는 한자어를 찾아 ◯표 하세요.

우리 반이 우승하자 선생님께서 기뻐하는
(物色 / 氣色)이 역력했습니다.

4 다음 밑줄 친 한자어의 음(소리)을 쓰세요.

(1) 사람은 **內面**이 아름다워야 합니다. ➔ (   )

(2) 그 사람은 남의 것으로 지나치게 **生色**을 냅니다. ➔ (   )

5 보기 와 같이 다음 한자의 뜻과 음(소리)을 쓰세요.

보기

方 ➔ 모 방

(1) 面 ➔ (   )

(2) 色 ➔ (   )

6 다음 뜻에 맞는 한자어를 보기 에서 찾아 그 번호를 쓰세요.

보기

① 內面   ② 內外   ③ 物色   ④ 生色

(1) 밖으로 드러나지 않는 사람의 속마음 ➔ (   )

(2) 어떤 기준에 맞는 사람이나 물건 등을 고르는 일 ➔ (   )

食 口

밥/먹을 식　　입 구

🔍 다음 글을 읽고, 오늘 배울 한자를 확인해 보세요.

우리 식구(食口)는 먹는[食] 것을 좋아합니다.

오늘 저녁에는 모두 함께 외식(食)하기로 했어요.

먹자골목 입구(口)에 들어서니 맛있는 냄새가 가득합니다.

어떤 음식(食)을 골라야 할지 벌써 설렙니다.

저녁을 먹고[食] 나서 맛있는 후식(食)까지 먹으면

기분이 정말 행복해질 것 같아요.

냠냠 먹자골목

오늘 배울 한자

食 口

밥/먹을 식　　입 구

밥/먹을 식

음식을 담는 그릇을 나타낸 데서 **밥**, **먹다**라는 뜻이 생겼어요.

QR을 보며 따라 써요!

食	食	食	食	食	食
밥/먹을 식	밥/먹을 식	밥/먹을 식	밥/먹을 식	밥/먹을 식	밥/먹을 식

1주

입 구

사람이 입을 크게 벌린 모습을 본뜬 글자로, **입**을 뜻해요.

QR을 보며 따라 써요!

口	口	口	口	口	口
입 구	입 구	입 구	입 구	입 구	입 구

食 밥/먹을 식 | 口 입 구

한자어를 익혀요

우리 오늘 저녁에 외식(外食)할까?

좋아요! 와, 신난다!

이 지역에 인구(人口)가 많으니 식당도 많이 있구나. 무엇을 먹을까?

검색해 보니 맛과 위생은 물론 친절까지 만구(萬口) 칭찬하는 맛집이 있어요. 거기로 가요!

와, 맛있겠다!

엄마, 이것도 더 시켜 먹어요!

난 이거 더 먹고 싶어요.

그래, 더 먹자꾸나!

잘 먹었다. 이제 후식(後食)을 먹어야지.

후식으로 디저트 카페에 가서 조각 케이크를 먹고 싶어요.

아이스크림도요!

다 먹을 수 있겠어?

그럼요! 얼마든지 먹을 수 있어요.

우리 식구(食口)는 모두 대식가(大食家)인 것 같구나. 하하!

'食(밥/먹을 식)'과 '口(입 구)'가 들어간 한자어를 알아봅시다.

食 밥/먹을 식

외식(外食)

外	
바깥 외	밥/먹을 식

뜻 집 밖에서 음식을 사 먹음. 또는 그런 식사

후식(後食)

後	
뒤 후	밥/먹을 식

뜻 식사 뒤에 먹는 과일 등의 간단한 음식

대식가(大食家)

大		家
큰 대	밥/먹을 식	집 가

뜻 음식을 보통 사람보다 많이 먹는 사람

口 입 구

인구(人口)

人	
사람 인	입 구

뜻 일정한 지역에 사는 사람의 수

만구(萬口)

萬	
일만 만	입 구

뜻 많은 사람의 입이나 말

식구(食口)

食	
밥/먹을 식	입 구

뜻 한 집에 살면서 끼니를 함께 먹는 사람

食 밥/먹을 식 | 口 입 구

기초 실력을 키워요

1 다음 그림과 관련된 뜻과 음(소리), 한자를 찾아 선으로 이으세요.

밥/먹을 식 · · 口

입 구 · · 食

2 다음 뜻에 해당하는 한자어를 찾아 선으로 이으세요.

식사 뒤에 먹는 과일
등의 간단한 음식 ·

· 外食

· 後食

3 다음에서 '口(입 구)'가 들어 있는 낱말을 찾아 ○표 하세요.

(구십) 권의 책

(인구)가 많은 지역

(구형)의 지구

급수유형

4 다음 밑줄 친 한자어의 음(소리)을 쓰세요.

(1) 주말에 가족들과 **外食**을 하였습니다. ➔ (   )

(2) 우리 **食口**는 모두 야구를 좋아합니다. ➔ (   )

급수유형

5 다음 뜻과 음(소리)에 맞는 한자를 보기 에서 찾아 그 번호를 쓰세요.

보기

① 口   ② 食   ③ 植   ④ 四

(1) 밥/먹을 식 ➔ (   )

(2) 입 구 ➔ (   )

급수유형

6 다음 밑줄 친 낱말에 해당하는 한자어를 보기 에서 찾아 그 번호를 쓰세요.

보기

① 人口   ② 小食家   ③ 大食家   ④ 一口

(1) 우리 삼촌은 한 번에 밥을 세 공기씩 먹는 대식가입니다. ➔ (   )

(2) 현재 우리나라에서 가장 인구가 많은 지역은 경기도입니다. ➔ (   )

先祖

먼저 선　할아버지 조

🔍 다음 글을 읽고, 오늘 배울 한자를 확인해 보세요.

할아버지[祖], 할머니 댁에 가면 근처에

조(祖)상님들의 무덤이 있는 선(先)산이 있습니다.

추석을 앞두고 이번 주말에 선(先)산에 벌초하러 다녀왔습니다.

오늘의 나를 있게 해 준 조(祖)상님께 감사하는 마음으로

조(祖)상님 묘에 자란 풀이나 나무를 베어 내고

주변을 깨끗하게 정리했습니다.

오늘 배울 한자

先祖

먼저 선　할아버지 조

먼저 선

어떤 사람보다 한 발짝 앞서간 사람의 발자국의 모습을 본뜬 글자예요. 그래서 **먼저, 미리, 조상**이라는 뜻을 나타내요.

QR을 보며 따라 써요!

先	先	先	先	先	先
먼저 선	먼저 선	먼저 선	먼저 선	먼저 선	먼저 선

1주

할아버지 조

조상에게 제사 지내는 사당에 위패와 제기가 놓여 있는 모양을 본뜬 글자로, **할아버지**를 뜻해요.

QR을 보며 따라 써요!

祖	祖	祖	祖	祖	祖
할아버지 조	할아버지 조	할아버지 조	할아버지 조	할아버지 조	할아버지 조

先 먼저 선 | 祖 할아버지 조

사람 한자

한자어를 익혀요

지난주에 선산(先山)에 벌초하러 다녀왔어.

선산이면 조상(祖上)님들의 무덤이 있는 곳이잖아.

훌륭한 일을 하셨구나.

응, 맞아. 벌초하면서 아빠한테 들었는데 우리 선조(先祖) 중에 훌륭하신 분들이 많더라고. 특히 우리 증조할아버지는 일제 강점기에 조국(祖國)의 독립을 위해 애쓰셨대.

그 얘기를 듣고 보니 나는 선천(先天)적으로 애국자의 피가 흐르고 있는 것 같아. 평소에도 내가 얼마나 우리나라의 미래를 생각하니?

그, 그랬나? 하하.

아, 근데 벌초하다가 벌에 쏘일 뻔했지 뭐야?

큰일 날 뻔했구나.

그리고 휴게소에서 우동을 먹었는데, 얼마나 맛있었는지 몰라. 아, 나 산에서 고라니도 봤다?!

산에 코스모스는 또 어찌나 예쁘게 피었는지. 우리 누나는 산에서 넘어져서 아프다고 울고불고 난리였어. 그리고……

도대체 이야기의 선후(先後)가 어떻게 되는 거야? 무슨 소리인지 모르겠어.

선천적으로 잘난 척은 잘하는데, 논리정연하게 말을 잘하지 못하는 것 같아.

'先(먼저 선)'과 '祖(할아버지 조)'가 들어간 한자어를 알아봅시다.

선산(先山)

| 먼저 선 | 메 산 |

뜻 조상의 무덤. 조상의 무덤이 있는 산

조상(祖上)

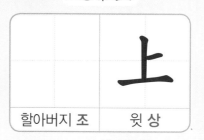

| 할아버지 조 | 윗 상 |

뜻 한 집안이나 민족의 옛 어른들

선천(先天)

| 먼저 선 | 하늘 천 |

뜻 태어날 때부터 몸에 지니고 있는 것

선조(先祖)

| 먼저 선 | 할아버지 조 |

뜻 먼 윗대의 조상

선후(先後)

| 먼저 선 | 뒤 후 |

뜻 먼저와 나중

조국(祖國)

| 할아버지 조 | 나라 국 |

뜻 조상 때부터 살던 나라.
자기 국적이 속해 있는 나라

先 먼저 선 | 祖 할아버지 조　**기초 실력을 키워요**

😺 한자 확인

1 다음 설명에 해당하는 한자를 쓰세요.

‘먼저’를 뜻하고 ‘선’이라고 읽습니다.

→ (　　　　　　)

‘할아버지’를 뜻하고 ‘조’라고 읽습니다.

→ (　　　　　　)

🐻 어휘 확인

2 한자어판에서 설명 에 해당하는 한자어를 찾아 ⭕표 하세요.

日	草	先
天	食	山
後	口	友

설명

조상의 무덤. 조상의 무덤이 있는 산

🐻 어휘 확인

3 다음 뜻에 해당하는 낱말을 찾아 ⭕표 하세요.

한 집안이나 민족의 옛 어른들

조상　　조국

태어날 때부터 몸에 지니고 있는 것

선조　　선천

급수유형

4 다음 밑줄 친 한자어의 음(소리)을 쓰세요.

(1) 명절 전에 <u>先山</u>에 가서 벌초를 했습니다. → (   )

(2) 독립운동가들은 <u>祖國</u>의 독립을 위해 목숨을 바쳤습니다. → (   )

1주

급수유형

5 보기 와 같이 다음 한자의 뜻과 음(소리)을 쓰세요.

보기
> 口 → 입 구

(1) 先 → (   )

(2) 祖 → (   )

급수유형

6 다음 뜻에 맞는 한자어를 보기 에서 찾아 그 번호를 쓰세요.

보기
> ① 左右   ② 先祖   ③ 先後   ④ 祖父

(1) 먼저와 나중 → (   )

(2) 먼 윗대의 조상 → (   )

父 母

아버지 부   어머니 모

🔍 다음 글을 읽고, 오늘 배울 한자를 확인해 보세요.

오늘 수업 시간에 부모(父母)님께 편지를 썼습니다.

나는 부모(父母)님의 사랑을 떠올려 보았습니다.

내가 아플 때 엄마[母]는 밤새 내 곁을 지켜 주셨고,

아빠[父]는 언제나 친구처럼 내 고민을 들어주고 해결해 주셨죠.

편지를 쓰다 보니 오늘따라 엄마[母],

아빠[父]가 보고 싶습니다.

저녁 때 부모(父母)님 어깨라도

주물러 드려야겠어요.

오늘 배울 한자

父 母

아버지 부   어머니 모

아버지 부

손에 막대기를 든 모습을 나타낸 글자로, **아버지**를 뜻해요.

QR을 보며 따라 써요!

1주

父	父	父	父	父	父
아버지 부	아버지 부	아버지 부	아버지 부	아버지 부	아버지 부

어머니 모

아이에게 젖을 먹이는 여자를 본뜬 글자로, **어머니**를 뜻해요.

QR을 보며 따라 써요!

母	母	母	母	母	母
어머니 모	어머니 모	어머니 모	어머니 모	어머니 모	어머니 모

父 아버지 부 | 母 어머니 모   한자어를 익혀요

오늘은 30년 전 해외로 입양되었던 ○○○ 씨가 모국(母國)을 찾아 생부(生父)와 생모(生母)를 만난 사연을 전해 드리겠습니다. ○○○ 씨의 인터뷰를 들어 보겠습니다.

자란 곳은 미국이지만, 모국이 항상 그리웠습니다. 이렇게 부모(父母)님을 만나서 정말 기쁩니다.

○○○ 씨는 이곳에서 조부(祖父)와 조모(祖母)도 만나 뵙고 자기 뿌리를 찾은 것 같아 더욱 기뻤다고 합니다. …….

정말 감동적인 이야기예요. 부모님과 함께 살 수 없다면 얼마나 슬프고 그리운 마음이 들까요?

그래, 이렇게 우리 가족이 모여 행복하게 살 수 있는 것에 항상 감사하는 마음을 가져야 한단다.

그나저나 사랑하는 우리 딸아! 네 방 청소하기로 해 놓고, 지금 뭘 하는 거니?

앗!

에고, 귀찮아요. 이렇게 절 구박하니 생모가 맞는지 의심스럽습니다만…….

사실 널 다리 밑에서 주워 왔단다.

'父(아버지 부)'와 '母(어머니 모)'가 들어간 한자어를 알아봅시다.

아버지 부

母
어머니 모

생부(生父)

生	
날 생	아버지 부

뜻 자기를 낳은 아버지

모국(母國)

	國
어머니 모	나라 국

뜻 자기가 태어난 나라

부모(父母)

	母
아버지 부	어머니 모

뜻 아버지와 어머니

생모(生母)

生	
날 생	어머니 모

뜻 자기를 낳은 어머니

조부(祖父)

祖	
할아버지 조	아버지 부

뜻 할아버지

조모(祖母)

祖	
할아버지 조	어머니 모

뜻 할머니

1주

4일

사람 한자

父 아버지 부 | 母 어머니 모

기초 실력을 키워요

한자 확인

1 다음 한자를 보고, 빈칸에 알맞은 말을 쓰세요.

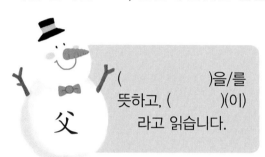

父 ( )을/를 뜻하고, ( )(이) 라고 읽습니다.

母 ( )을/를 뜻하고, ( )(이) 라고 읽습니다.

어휘 확인

2 힌트 를 보고 다음 빈칸에 들어갈 알맞은 글자를 써넣으세요.

생

모

힌트
- 생 ☐ : 자기를 낳은 아버지
- ☐ 모: 아버지와 어머니

어휘 확인

3 다음 설명 에 해당하는 한자어를 찾아 ○표 하세요.

설명

자기가 태어난 나라

父母   母國   祖父

급수 유형

4 다음 밑줄 친 한자어의 음(소리)을 쓰세요.

(1) 그 남자는 30년 만에 生父를 만났습니다. → (   )

(2) 외국에 있으면 母國에 대한 그리움이 더욱 커집니다. → (   )

1주

급수 유형

5 다음 뜻과 음(소리)에 맞는 한자를 보기 에서 찾아 그 번호를 쓰세요.

보기

① 母   ② 祖   ③ 父   ④ 先

(1) 아버지 부 → (   )

(2) 어머니 모 → (   )

급수 유형

6 다음 밑줄 친 낱말에 해당하는 한자어를 보기 에서 찾아 그 번호를 쓰세요.

보기

① 祖父   ② 父母   ③ 祖母   ④ 父子

(1) 우리는 부모님의 따뜻한 사랑을 받으며 자랍니다. → (   )

(2) 그것은 조모로부터 물려받은 유산입니다. → (   )

三 寸

석 삼　　마디 촌

🔍 다음 글을 읽고, 오늘 배울 한자를 확인해 보세요.

우리 삼촌(三寸)은 작년에 결혼했습니다.

그리고 3(三)주 전에 삼촌과 숙모의 아기가 태어났습니다.

나에게 사촌(寸) 동생이 생긴 거죠.

사촌(寸) 동생이 너무 보고 싶습니다.

정말 귀여울 것 같아요.

삼촌(三寸)이 며칠 지나고 아기를 보러 오라고 했어요.

그날이 매우 기다려집니다.

오늘 배울 한자

三 寸

석 삼　　마디 촌

✏️ **연하게 쓰인 한자를 따라 써 본 후, 빈칸에 바르게 쓰세요.**

석 삼

막대기 세 개를 옆으로 눕힌 모양으로, **셋**을 뜻해요.

QR을 보며 따라 써요!

三	三	三	三	三	三
석 삼	석 삼	석 삼	석 삼	석 삼	석 삼

마디 촌

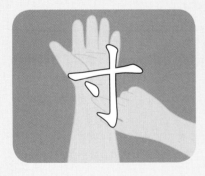

손의 모양을 본뜬 글자로, 손목에서 맥박이 뛰는 곳까지가 손가락 한 마디라는 데서 **마디**를 뜻하게 되었어요.

QR을 보며 따라 써요!

寸	寸	寸	寸	寸	寸
마디 촌	마디 촌	마디 촌	마디 촌	마디 촌	마디 촌

三 석 삼 | 寸 마디 촌

한자어를 익혀요

집에 가는 길에 삼촌(三寸) 댁에 들를 거야. 얼마 전에 아기를 낳았거든. 삼칠일(三七日)이 지나서 이제 아기를 보러 와도 된대.

사촌(四寸) 동생이 생긴 거야? 좋겠다.

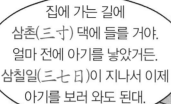

삼촌, 저예요.

딩동♪

어서 와! 아기는 자고 있고, 작은엄마는 잠깐 볼일 보러 나갔어. 조용히 들어오렴.

헉, 삼촌! 왜 그래요?

아기가 자꾸 울어. 배고프다고 울고, 기저귀 갈아 달라고 울고, 안아 달라고 울고……

쾅~

삼시(三時)를 제대로 챙겨 먹을 시간도 없고, 밤에 계속 깨니 잠잘 시간도 없어. 육아가 참 힘들구나!

삼촌, 힘내세요!

자는 모습이 너무 귀엽다! 방 삼면(三面)을 아늑하게 꾸며 놓았네요. 그래서 저렇게 아기가 잘 자는 걸까요?

드르렁

응?

앗, 삼촌! 이렇게 잠들면 어떻게 해요?

쿨~

우주야, 나 너무 졸려. 네가 아기 좀 봐 줄래? 우리가 촌외(寸外)도 아니고 가까운 사이인데, 부탁 좀 하마.

아이고, 어서 일어나요!

'三(석 삼)'과 '寸(마디 촌)'이 들어간 한자어를 알아봅시다.

 석 삼

 마디 촌

삼칠일(三七日)

| 석 삼 | 일곱 칠 | 날 일 |

뜻 아이가 태어난 지 스물하루째의 날

삼촌(三寸)

| 석 삼 | 마디 촌 |

뜻 아버지의 남자 형제

삼시(三時)

| 석 삼 | 때 시 |

뜻 아침, 점심, 저녁의 세 끼니

사촌(四寸)

| 넉 사 | 마디 촌 |

뜻 아버지 형제자매의 아들딸

삼면(三面)

| 석 삼 | 낯 면 |

뜻 세 방면. 세 개의 평면

촌외(寸外)

| 마디 촌 | 바깥 외 |

뜻 십 촌이 넘는 먼 친척

5일
사람 한자

三 석 삼 | 寸 마디 촌

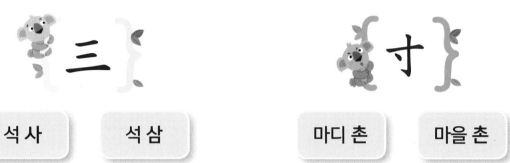

기초 실력을 키워요

한자 확인

1 다음 한자의 뜻과 음으로 알맞은 것을 찾아 ◯표 하세요.

三

석 사   석 삼

寸

마디 촌   마을 촌

어휘 확인

2 ◯에 알맞은 글자를 넣어 낱말을 만드세요.

아침, 점심, 저녁의
세 끼니

▶ ◯시

아버지 형제자매의
아들딸

▶ 사◯

어휘 확인

3 다음 한자어의 뜻을 바르게 나타낸 것에 ✔표 하세요.

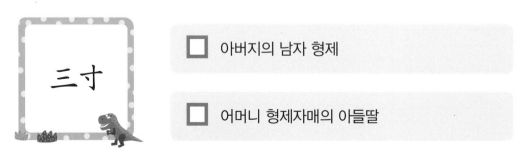

三寸

☐ 아버지의 남자 형제

☐ 어머니 형제자매의 아들딸

급수 유형

4 다음 뜻과 음(소리)에 맞는 한자를 보기 에서 찾아 그 번호를 쓰세요.

보기

① 川   ② 寸   ③ 三   ④ 手

(1) 석 삼 ➜ (   )

(2) 마디 촌 ➜ (   )

급수 유형

5 다음 밑줄 친 한자어를 보기 에서 찾아 그 번호를 쓰세요.

보기

① 寸外   ② 三寸   ③ 四寸   ④ 三面

(1) 우리나라는 <u>삼면</u>이 바다로 둘러싸여 있습니다. ➜ (   )

(2) 나는 <u>사촌</u>들과 매우 가깝게 지냅니다. ➜ (   )

급수 유형

6 다음 뜻에 맞는 한자어를 보기 에서 찾아 그 번호를 쓰세요.

보기

① 三寸   ② 寸時   ③ 三時   ④ 寸外

(1) 아침, 점심, 저녁의 세 끼니 ➜ (   )

(2) 십 촌이 넘는 먼 친척 ➜ (   )

1 다음 한자 카드의 □ 안에 알맞은 한자의 뜻과 음(소리)을 쓰세요.

(1)

面

(2)

口

2 다음 그림과 뜻이 나타내는 한자어에 ∨표 하세요.

한 집에 살면서 끼니를
함께 먹는 사람

□ 外食   □ 食口

3 다음 한자의 음(소리)을 보기 에서 찾아 그 번호를 쓰세요.

보기
① 후   ② 색   ③ 선

(1) 色 → (   )

(2) 先 → (   )

4 다음 밑줄 친 낱말에 해당하는 한자어를 보기 에서 찾아 그 번호를 쓰세요.

보기
① 場面 ② 生色 ③ 物色

● 그 사람은 모두 자기가 한 일이라며 <u>생색</u>을 냈습니다.
→ (   )

5 다음 그림이 나타내는 한자를 선으로 이으세요.

· 食

· 祖

6 다음 뜻에 해당하는 한자어를 찾아 선으로 이으세요.

먼 윗대의 조상 ·

· 祖父

· 先祖

7 다음 밑줄 친 한자어의 음(소리)을 쓰세요.

토요일 저녁에 (1) <u>父母</u>님과 (2) <u>外食</u>을 하였습니다.

(1) (　　　　　　)

(2) (　　　　　　)

8 다음 □ 안에 들어갈 한자를 보기 에서 찾아 그 번호를 쓰세요.

보기

① 面　② 寸　③ 母

● 삼촌이 딸을 낳아 사□동생이 생겼습니다. → (　　　　)

9 다음 뜻에 알맞은 한자어를 쓰세요.

● 아기가 태어난 지 스물하루째의 날

→ (　　　　　　　)

10 다음 낱말 퍼즐을 푸세요.

● **가로 열쇠**

① 다른 사람 앞에 당당히 나서거나 자랑할 수 있는 체면
② 할머니
④ 한 집에 살면서 끼니를 함께 먹는 사람
⑤ 아버지의 남자 형제
⑥ 어떤 장소에서 벌어진 광경

● **세로 열쇠**

① 자기를 낳은 어머니
② 조상 때부터 살던 나라. 자기 국적이 속해 있는 나라
③ 일정한 지역에 사는 사람의 수
⑤ 세 방면. 세 개의 평면

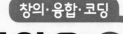

📖 국어+한문 다음 만화를 읽고, 성어의 뜻을 생각해 보세요.

一 口 二 言
한 **일**　입 **구**　두 **이**　말씀 **언**

◆ 성어의 뜻을 살펴보며 빈칸에 알맞은 한자를 채우세요.

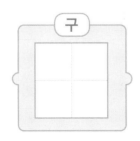

→ '한 입으로 두 말을 한다.'라는 뜻으로, 어떤 일에 대해 말을 이랬다저랬다 함을 이르는 말

📖 코딩+한문 규칙 에 따라 미로를 탈출하며 만난 숫자에 ◯표 하고, 도착한 한자어의 음(소리)을 쓰세요.

예시 　규칙
100만큼 뛰어서 세는 규칙

● 한자어의 음(소리) → (　　　내면　　　)

문제 1 　규칙
100만큼 거꾸로 뛰어서 세는 규칙

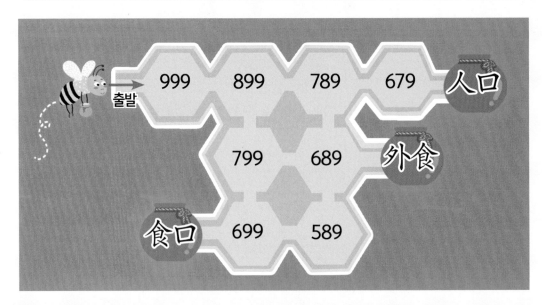

● 한자어의 음(소리) → (　　　　　　　)

● 정답 6쪽

문제 2

규칙

10만큼 뛰어서 세는 규칙

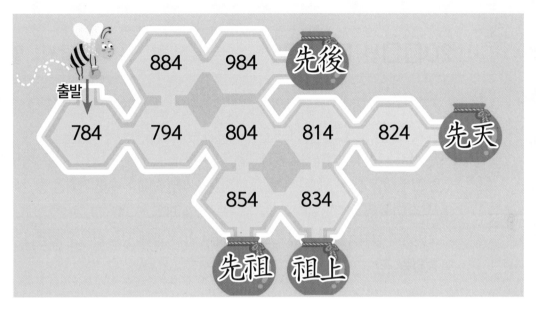

● 한자어의 음(소리) → (　　　　　　　　　)

문제 3

규칙

10만큼 거꾸로 뛰어서 세는 규칙

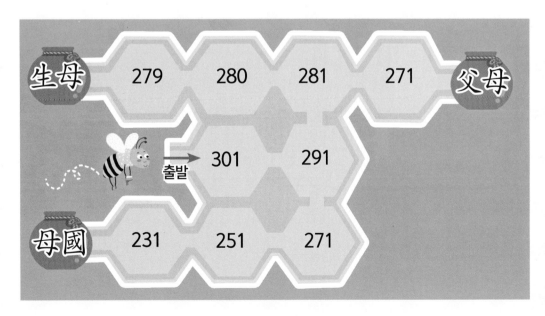

● 한자어의 음(소리) → (　　　　　　　　　)

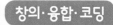

📖 사회+한문 소라는 주말에 있었던 일을 그림일기로 남겼습니다. 소라의 그림일기를 보고, 물음에 답해 보세요.

20□□년 □월 □일	일요일	날씨: 맑음

지난 주말에 가족사진을 찍었습니다. 사진관에서 ㉠할아버지, ㉡할머니, ㉢삼촌 가족을 만나니 무척 반가웠습니다.

할아버지, 할머니는 의자에 앉으셨고, 그 뒤편에 우리 ㉣부모님과 삼촌, 숙모가 서 있었으며, 나와 사촌 동생은 앞에 서서 사진을 찍었습니다. 우리 가족은 빨간색 계열로, 삼촌 가족은 파란색 계열로 옷을 맞춰 입었습니다.

오랜만에 친척들을 보니 앞으로 서로 자주 만나 함께 정을 나누면 좋겠다는 생각이 들었습니다.

1 밑줄 친 ㉠, ㉡을 한자어로 바르게 나타낸 것을 보기 에서 찾아 그 번호를 쓰세요.

> **보기**
>
> ① 祖父　　　② 父母　　　③ 生母　　　④ 祖母

(1) ㉠ 할아버지 ➡ (　　　　　)　　(2) ㉡ 할머니 ➡ (　　　　　)

2 ㉢에 대한 설명으로 옳은 것은 어느 것입니까? (　　　　　)

① 한자로 '三寸'이라고 씁니다.
② 십촌이 넘는 먼 친척을 말합니다.
③ 아버지 형제자매의 아들딸을 말합니다.
④ 그림에서 빨간색 스웨터를 입고 있는 남자입니다.

3 ㉣을 한자로 바르게 나타낸 것을 보기 에서 찾아 빈칸에 쓰세요.

> **보기**
>
> 生父　　　　父母　　　　生母　　　　母國

답

4 그림에서 소라의 '四寸'에 해당하는 사람을 찾아 ◯표 하세요.

저는 최고의 가수가 되고 싶어요!
어떻게 하면 노래를 잘할 수 있을까요?
노래의 신이시여! 저를 도와주세요!

앗, 당신은
누구신가요!

노래의 신께서
이 편지를 보내셨습니다.
읽어 보세요.

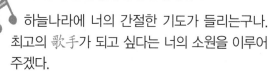

♪ 하늘나라에 너의 간절한 기도가 들리는구나.
최고의 歌手가 되고 싶다는 너의 소원을 이루어
주겠다.

　한때 놀라운 가창력으로 人間 세상을 휘어잡
던 유명한 歌手가 있었지. 男女老少 불문하고
그의 노래를 좋아하지 않은 사람이 없었단다. 그
는 최고의 인기를 누리고 어느 날 홀연히 사라졌
지. 지금은 조용한 시골 마을에 내려가 農夫가 되
어 살고 있단다.

　그를 찾아가거라. 노래를 잘할 수 있는 비법을
전수해 줄 것이다.

노래의 신

한자가 많아 무슨 얘기인지 모르겠다.
탐정님을 찾아가야겠어.

탐정님들! 안녕하세요?
저를 좀 도와주세요.
이 편지를 좀 봐 주세요.

어디 한번 볼까요?

삼정 사무소

음, 사람과 관련된 한자를 알아야
힌트를 얻을 수 있겠어요.
그럼 같이 풀어 볼까요?

農 男 女 老
夫 少 人
歌 手 間

하늘나라에 너의 간절한 기도가 들리는구나.
최고의 가수가 되고 싶다는 너의 소원을 이루어
주겠다.

한때 놀라운 가창력으로 인간 세상을 휘어잡
던 유명한 가수가 있었지. 남녀노소 불문하고
그의 노래를 좋아하지 않은 사람이 없었단다. 그
는 최고의 인기를 누리고 어느 날 홀연히 사라졌
지. 지금은 조용한 시골 마을에 내려가 농부가 되
어 살고 있단다.

그를 찾아가거라. 노래를 잘할 수 있는 비법을
전수해 줄 것이다.

노래의 신

농부가 된 가수라……

흐음, 농부가 된 전설 속의
가수라면……?

탐정님! 그분을
아시나요?

우리 삼촌이 농부인데,
노래를 잘해요. 멀리 찾아 나서지
마시고 우리 삼촌한테 배우세요!

얼씨구, 좋다!

너희 삼촌이라면??

✱ 이번 주에 배울 한자들이 미로 속에 있어요. 보기 를 참고해서 제시된 한자의 뜻과 음(소리)이 바르게 쓰인 길을 따라가 전설의 가수를 찾아보세요.

출발

사내 남

여자 녀

손 수

낮 면

농사 농

하늘 천

지아비 부

노래 가

발 족

나라 국

정답 7쪽

農 夫

농사 농   지아비 부

🔍 다음 글을 읽고, 오늘 배울 한자를 확인해 보세요.

이모와 이모부는 농(農)촌에서 농(農)사를 짓고 있습니다.

그래서 종종 수확한 농(農)작물을 보내 주십니다.

지난여름에는 토마토, 수박, 오이 등을 한가득 보내 주셨어요.

이모네 집에 놀러 가고 싶다고 엄마한테 말씀드려야겠어요.

이번 주에 열심히 공부(夫)하는 모습을 보여 주면

허락하실지도 몰라요.

오늘 배울 한자

農 夫
농사 농   지아비 부

농사 농

농기구로 밭을 가는 모습을 나타낸 글자로, 농사라는 뜻이에요.

QR을 보며 따라 써요!

農	農	農	農	農	農
농사 농	농사 농	농사 농	농사 농	농사 농	농사 농

지아비 부

머리에 비녀를 꽂고 서 있는 사람의 모습을 본뜬 글자로, **지아비**를 뜻해요. '지아비'는 '남편'이라는 의미예요.

QR을 보며 따라 써요!

夫	夫	夫	夫	夫	夫
지아비 부	지아비 부	지아비 부	지아비 부	지아비 부	지아비 부

農 농사 농 | 夫 지아비 부

한자어를 익혀요

제부(弟夫)가 이번에 수확한 고구마를 이렇게 많이 보내 줬어요. 올해 고구마 농사(農事)가 풍년이라고 하네요.

정말 타고난 농사꾼이에요.

제부요?

엄마 여동생의 남편, 그러니까 우주 이모부를 말해.

아, 이모부 얘기구나. 이모부는 원래 농촌(農村)에서 태어났나요?

아니, 도시에서 자랐지만 어렸을 때부터 농부(農夫)가 되는 게 꿈이었대. 그래서 농대(農大)를 졸업하고 농촌으로 갔지.

지금도 낮에는 농사를 짓고, 밤에는 농사와 관련된 공부(工夫)를 계속하고 있어.

대단해요.

이번 주말에 다 같이 이모네 내려가서 일손을 도울까? 지금 한창 바쁠 때잖아.

와, 좋아요!

이모네 가면 이모가 얼마나 맛있는 음식을 많이 해 주는데요, 가서 다 먹고 와야지!

하하, 이 녀석 진짜 목적은 다른 데 있었구나!

🔍 '農(농사 농)'과 '夫(지아비 부)'가 들어간 한자어를 알아봅시다.

 농사 농

 지아비 부

농사(農事)

| 農 | 事 |
| 농사 농 | 일 사 |

뜻 농작물을 심어 기르고 거두어들이는 일

제부(弟夫)

| 弟 | 夫 |
| 아우 제 | 지아비 부 |

뜻 여동생의 남편

농촌(農村)

| 農 | 村 |
| 농사 농 | 마을 촌 |

뜻 농사를 짓는 사람들이 사는 마을이나 지역

농부(農夫)

| 農 | 夫 |
| 농사 농 | 지아비 부 |

뜻 농사짓는 일을 직업으로 하는 사람

농대(農大)

| 農 | 大 |
| 농사 농 | 큰 대 |

뜻 농과 대학의 준말

공부(工夫)

| 工 | 夫 |
| 장인 공 | 지아비 부 |

뜻 학문이나 기술을 배우고 익힘.

農 농사 농 | 夫 지아비 부

기초 실력을 키워요

1 다음 한자의 뜻과 음(소리)으로 알맞은 것을 찾아 ○표 하세요.

農

농사 공 　　 농사 농

夫

지아비 부 　　 며느리 부

어휘 확인

2 다음 문장의 뜻에 알맞은 낱말을 찾아 ○표 하세요.

(농촌 / 어촌)에는 농사를 짓는
사람이 모여 삽니다.

여동생의 남편을
(형부 / 제부)라고 합니다.

어휘 확인

3 다음 한자어의 뜻을 바르게 나타낸 것에 ∨표 하세요.

農事

□ 농작물을 심어 기르고 거두어들이는 일

□ 농사짓는 일을 직업으로 하는 사람

급수 유형

4 다음 밑줄 친 한자어의 음(소리)을 쓰세요.

(1) 올해 배추 *農事*는 풍년입니다. ➡ (   )

(2) 시험에 대비해서 *工夫*를 열심히 했습니다. ➡ (   )

급수 유형

5 다음 뜻과 음(소리)에 맞는 한자를 보기 에서 찾아 그 번호를 쓰세요.

보기
① 夫   ② 夏   ③ 農   ④ 父

(1) 농사 농 ➡ (   )

(2) 지아비 부 ➡ (   )

급수 유형

6 다음 뜻에 맞는 한자어를 보기 에서 찾아 그 번호를 쓰세요.

보기
① 農事   ② 農夫   ③ 農大   ④ 工夫

(1) 농과 대학의 준말 ➡ (   )

(2) 농사짓는 일을 직업으로 하는 사람 ➡ (   )

歌 手

노래 가　　손 수

🔍 다음 글을 읽고, 오늘 배울 한자를 확인해 보세요.

오늘은 노래[歌] 연습을 할 거예요.

며칠 후에 친구들과 노래[歌] 실력을 겨루기로 했거든요.

바르게 서서 두 손[手]을 맞잡고

고운 목소리로 노래[歌]를 불러 봅니다.

열심히 연습하면 가수(歌手)처럼 잘 부를 수 있을까요?

친구들한테 노래[歌]를 잘 부르는 멋진 모습을 보여 주고 싶어요.

오늘 배울 한자

歌 手

노래 가　　손 수

노래 가

사람이 입을 크게 벌리고 소리 내어 노래를 부른
다는 데서 유래된 글자로, **노래**를 뜻해요.

QR을 보며 따라 써요!

歌	歌	歌	歌	歌	歌
노래 가	노래 가	노래 가	노래 가	노래 가	노래 가

2주

손 수

다섯 손가락을 편 모양을 본뜬 글자로, **손**을 뜻
해요. 또 손을 써서 일하는 **재주**나 **사람**을 뜻하기
도 해요.

QR을 보며 따라 써요!

手	手	手	手	手	手
손 수	손 수	손 수	손 수	손 수	손 수

자, 모두 모였으니 노래 실력을 겨뤄 볼까?

좋아, 나부터! 난 교가(校歌)를 부를 거야!

파～ 란 ～～～
하～ 늘 ～～～
아～ 래 ～～～

덜덜덜

이제 내 차례야. 나는 군대에 간 아이돌 오빠들 힘내라고 군가(軍歌)를 부를 거야.

오늘도 힘차게 전진하라아앗! 악!

삑

하하하!

모두 나보다 하수(下手)네. 이제 나의 노래 실력을 보여 줄 차례군.

사랑이 가득한～

와, 가수(歌手) 같아! 어쩌면 그렇게 노래를 잘하니?

그 비법은 바로 이 아이돌 연습생 체험 수기(手記)! 이걸 참고해서 연습하면 도움이 될 거야.

와, 나한테 좀 빌려줘.

좋아, 이게 나의 수중(手中)에 들어왔으니 이제 가수처럼 잘 부를 수 있을 거야.

연습생 체험 수기

며칠 후

파～ 란 ～～～
하～ 늘 ～～～
아～ 래 ～～～

가창력은 타고나는 건가 봐. 그 비법도 소용이 없네.

덜덜덜

'歌(노래 가)'와 '手(손 수)'가 들어간 한자어를 알아봅시다.

노래 가

교가(校歌)

校	
학교 교	노래 가

뜻 학교를 상징하는 노래

손 수

하수(下手)

下	
아래 하	손 수

뜻 남보다 낮은 재주나 솜씨를 가진 사람

군가(軍歌)

軍	
군사 군	노래 가

뜻 군대의 사기를 북돋우기 위해 부르는 노래

수기(手記)

	記
손 수	기록할 기

뜻 자기의 생활이나 체험을 직접 쓴 기록

가수(歌手)

	手
노래 가	손 수

뜻 노래 부르는 것이 직업인 사람

수중(手中)

	中
손 수	가운데 중

뜻 손 안

歌 노래 가 | 手 손 수

기초 실력을 키워요

😺한자 확인

1 그림에 해당하는 한자를 찾아 ○표 하세요.

歌　　農　　　　夫　　手

🐻어휘 확인

2 다음 뜻에 해당하는 낱말을 찾아 선으로 이으세요.

학교를 상징하는 노래 ・

남보다 낮은 재주나
솜씨를 가진 사람 ・

・ 하수

・ 교가

🐻어휘 확인

3 그림 속 내용이 맞으면 '예', 틀리면 '아니요'에 ○표 하세요.

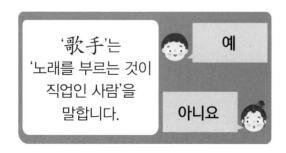

'歌手'는
'노래를 부르는 것이
직업인 사람'을
말합니다.
예
아니요

'手中'은
'손으로 물건을
만들거나 다루는
기술'을 뜻합니다.
예
아니요

급수 유형

4 다음 밑줄 친 한자어의 음(소리)을 쓰세요.

(1) 전교생이 운동장에 모여 **校歌**를 불렀습니다. ➡ (   )

(2) 바둑은 내가 그 사람보다 **下手**입니다. ➡ (   )

급수 유형

5 보기 와 같이 다음 한자의 뜻과 음(소리)을 쓰세요.

보기

農 ➡ 농사 농

(1) 歌 ➡ (   )

(2) 手 ➡ (   )

급수 유형

6 다음 뜻에 맞는 한자어를 보기 에서 찾아 그 번호를 쓰세요.

보기

① 歌手   ② 手記   ③ 手中   ④ 軍歌

(1) 군대의 사기를 북돋우기 위해 부르는 노래 ➡ (   )

(2) 자기의 생활이나 체험을 직접 쓴 기록 ➡ (   )

男 女

사내 남 　 여자 녀

🔍 다음 글을 읽고, 오늘 배울 한자를 확인해 보세요.

나에게는 여(女)자 중학교에 다니는 누나가 있습니다.

누나는 어렸을 때부터 남(男)자인 나보다 씩씩하고 용감했습니다.

누나의 꿈은 여(女)군이 되는 것입니다.

아버지께서는 남녀(男女) 성별이 중요한 것이 아니라 자신이 잘할 수 있고,

하고 싶은 일을 하는 것이 중요하다고 말씀하셨습니다.

또한 남녀(男女)가 평등하고,

서로가 조화를 이루며 사는

세상이 되어야 한다고

하셨습니다.

오늘 배울 한자

男 女
사내 남 　 여자 녀

✎ 연하게 쓰인 한자를 따라 써 본 후, 빈칸에 바르게 쓰세요.

사내 남

힘써서 밭을 가는 사람을 나타낸 글자로, 사내, 남자를 뜻해요.

QR을 보며 따라 써요!

男	男	男	男	男	男
사내 남	사내 남	사내 남	사내 남	사내 남	사내 남

2주

여자 녀

무릎을 꿇고 앉아 있는 여자의 모습을 본뜬 글자로, 여자 또는 딸을 뜻해요.

QR을 보며 따라 써요!

女	女	女	女	女	女
여자 녀	여자 녀	여자 녀	여자 녀	여자 녀	여자 녀

안녕하세요? 부녀(父女)가 사이좋게 어디 가세요?

안녕하세요?

안녕하세요? 마트에 장 보러 가는데, 노을이가 같이 가겠다고 따라나섰네요.

정말 효녀(孝女)네요. 노을이가 둘째고, 위에 언니가 있죠?

네, 장녀(長女)는 대학생입니다. 지금 엄마와 함께 집에서 음식을 만들고 있어요.

부럽습니다. 우리 우주는······.

우주도 효자잖아요. 어? 저기 여중 앞에 서 있는 남학생(男學生), 우주 아닌가요?

기웃

기웃

오, 역시! 남학생들만 가득한 남자(男子) 중학교는 싫어. 남녀(男女)가 조화로운 남녀 공학으로 가야겠어.

야! 너 여기 왜 또 왔어?

누나 보러 온 거 아니거든?

男

아이고, 저 녀석들을 어쩌면 좋아.

하하······.

아웅

다웅

🔍 '男(사내 남)'과 '女(여자 녀)'가 들어간 한자어를 알아봅시다.

 男 사내 남

 女 여자 녀

남학생(男學生)

學	生
사내 남	배울 학	날 생

뜻 남자인 학생

부녀(父女)

父	
아비 부	여자 녀

뜻 아버지와 딸

남자(男子)

子	
사내 남	아들 자

뜻 남성으로 태어난 사람

효녀(孝女)

孝	
효도 효	여자 녀

뜻 부모를 잘 섬기는 딸

남녀(男女)

女	
사내 남	여자 녀

뜻 남자와 여자

장녀(長女)

長	
긴 장	여자 녀

'長'은 '맏'이라는 뜻도 있어요.

뜻 맏딸

男 사내 남 | 女 여자 녀

기초 실력을 키워요

한자 확인

1 다음 한자 카드의 [ ] 안에 들어갈 한자나 한자의 뜻과 음(소리)을 쓰세요.

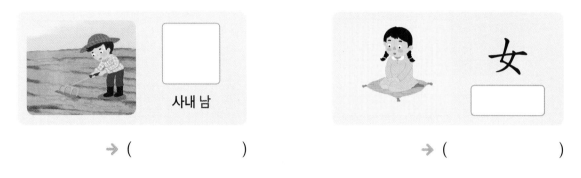

사내 남

→ (   )

女

→ (   )

어휘 확인

2 ◌ 에 알맞은 글자를 넣어 낱말을 만드세요.

남자와 여자   ▶   ◌ 녀

아버지와 딸   ▶   부 ◌

어휘 확인

3 다음 설명 에 해당하는 한자어를 찾아 ◯표 하세요.

> **설명**
> 남성으로 태어난 사람

女子   男子   男女

기초 집중 연습

급수유형

4 다음 밑줄 친 한자어의 음(소리)을 쓰세요.

(1) 대한민국에서 <u>男子</u>는 나라를 지키기 위해 군대에 갑니다. ➜ (   )

(2) 그 사람은 동네에서 <u>孝女</u>로 소문이 났습니다. ➜ (   )

급수유형

5 다음 뜻에 맞는 한자어를 보기 에서 찾아 그 번호를 쓰세요.

> 보기
>
> ① 男子   ② 男女   ③ 長女   ④ 父女

(1) 남자와 여자 ➜ (   )

(2) 맏딸 ➜ (   )

급수유형

6 다음 한자의 상대 또는 반대되는 한자를 보기 에서 찾아 그 번호를 쓰세요.

> 보기
>
> ① 母   ② 祖   ③ 男   ④ 父

● 女 ↔ (   )

老 少

늙을 로   적을 소

🔍 다음 글을 읽고, 오늘 배울 한자를 확인해 보세요.

오랜만에 시골에서 할아버지가 올라오셨습니다.

할아버지께서는 작고 어렸던 아기가 이제 어여쁜 소(少)녀가

되었다며 나를 예뻐해 주셨습니다.

한편으로는 자신이 많이 늙은[老] 것 같아 슬프다고 하셨습니다.

내일은 할아버지랑 영화를 보러 가기로 했습니다.

남녀노소(老少) 모두 좋아하는 영화를 봐서

할아버지 기분이 즐거워지면 좋겠습니다.

오늘 배울 한자

老 少

늙을 로   적을 소

✏️ **연하게 쓰인 한자를 따라 써 본 후, 빈칸에 바르게 쓰세요.**

늙을 로

老

등이 구부정한 노인이 지팡이를 짚고 있는 모습을 본뜬 글자로, **늙**다라는 뜻이에요.

QR을 보며 따라 써요!

老	老	老	老	老	老
늙을 로	늙을 로	늙을 로	늙을 로	늙을 로	늙을 로

2주

적을 소

작은 모래의 알갱이를 본뜬 글자로, **적**다라는 뜻이에요. '나이가 적다'라는 의미에서 **젊**다라는 뜻도 있어요.

QR을 보며 따라 써요!

少	少	少	少	少	少
적을 소	적을 소	적을 소	적을 소	적을 소	적을 소

老 늙을 로 │ 少 적을 소

한자어를 익혀요

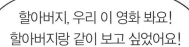

할아버지, 우리 이 영화 봐요! 할아버지랑 같이 보고 싶었어요!

아, 이 영화는 연소(年少)자 관람 불가네. 보고 싶었는데.

그럼 이 영화 보자꾸나. 이건 노소(老少)와 관계없이 모두 즐겁게 볼 수 있는 영화 같구나.

연소자 관람 불가

상영 중

시네마

어, 할아버지! 노인(老人) 우대 할인이 있어요. 좋겠어요.

하하, 좋겠다고? 노인이 되면 아픈 데도 생기고, 노후(老年) 준비가 되어 있지 않으면 여러모로 불편한 게 많단다.

나도 소년(少年)이었을 때가 있었지. 시간이 언제 이렇게 흘러 노인이 됐는지 모르겠구나. 나도 소시(少時)에는 잘나가던 청년이었는데…….

할아버지 아직 젊으신걸요.

그러냐? 하긴 관리를 잘해서 그런지 체력이 요즘 젊은이들 못지않단다. 한번 볼래? 얍! 이얏!! 호옷!!

어떠냐!

하, 할아버지! 알겠어요. 집에 가서 하셔도 되잖아요. 그만 좀 하세요!

척

파 파 파

파

'老(늙을 로)'와 '少(적을 소)'가 들어간 한자어를 알아봅시다.

 늙을 로

 적을 소

노소(老少)

少	
늙을 로	적을 소

'老'가 낱말의 맨 앞에 올 때는 '노' 라고 읽어요.

뜻 늙은이와 젊은이

연소(年少)

年	
해 년	적을 소

'年'이 낱말의 맨 앞에 올 때는 '연' 이라고 읽어요.

뜻 나이가 어림.

노인(老人)

人	
늙을 로	사람 인

뜻 나이가 들어 늙은 사람

소년(少年)

年	
적을 소	해 년

뜻 어린 남자아이

노후(老後)

後	
늙을 로	뒤 후

뜻 늙어진 뒤

소시(少時)

時	
적을 소	때 시

뜻 젊었을 때

 한자 확인

1 다음 한자의 뜻과 음(소리)으로 알맞은 것을 찾아 선으로 이으세요.

 老

 少

늙을 조   늙을 로   적을 소   작을 소

 어휘 확인

2 힌트를 보고 다음 빈칸에 들어갈 알맞은 한자를 써넣으세요.

老 □
□ 年

힌트
- 老 □ : 늙은이와 젊은이
- □ 年 : 어린 남자아이

어휘 확인

3 다음 문장의 내용이 맞으면 '예', 틀리면 '아니요'에 ○표 하세요.

'老後(노후)'는 '어려진 뒤. 젊어진 뒤'를 뜻합니다.

 예   아니요

기초 집중 연습

급수 유형

4 다음 밑줄 친 한자어의 음(소리)을 쓰세요.

(1) 우리는 <u>老人</u>을 공경해야 합니다. ➡ (   )

(2) 나이가 들고 보니 <u>少年</u> 시절이 그립습니다. ➡ (   )

급수 유형

5 다음 밑줄 친 낱말에 해당하는 한자어를 보기 에서 찾아 그 번호를 쓰세요.

보기
① 年少   ② 老少   ③ 老後   ④ 少年

(1) <u>남녀노소</u> 모두 즐겁게 마을 축제에 참여했습니다. ➡ (   )

(2) 이 영화는 <u>연소자</u> 관람 불가입니다. ➡ (   )

급수 유형

6 다음 한자의 상대 또는 반대되는 한자를 보기 에서 찾아 그 번호를 쓰세요.

보기
① 先   ② 大   ③ 女   ④ 少

● 老 ↔ (   )

人 間

사람 인   사이 간

🔍 다음 글을 읽고, 오늘 배울 한자를 확인해 보세요.

오늘 학교에서 3시간(間) 동안 알뜰 시장이 열렸습니다.
학생들은 집에서 사용하지 않는 물건이나 직접 만든 쿠키,
인(人)형, 열쇠고리 등을 가져와서 판매하였습니다.
오늘 수익금은 불우 이웃 돕기 성금으로 기부했습니다.
비록 큰 금액은 아니었지만, 도움이 필요한 사람[人]들에게
희망과 용기를 준 것 같아 뿌듯했습니다.
또, 이웃 간(間)에 서로 돕고 사랑을 베푸는
아름다운 세상이 되면 좋겠다고 생각했습니다.

오늘 배울 한자

人 間
사람 인   사이 간

사람 인

서 있는 사람을 옆에서 본 모습을 본뜬 글자로, 사람을 뜻해요.

QR을 보며 따라 써요!

人	人	人	人	人	人
사람 인	사람 인	사람 인	사람 인	사람 인	사람 인

2주

사이 간

문틈으로 햇빛이 들어오는 모습을 나타낸 글자로, 사이를 뜻해요.

QR을 보며 따라 써요!

間	間	間	間	間	間
사이 간	사이 간	사이 간	사이 간	사이 간	사이 간

이번에는 연말 특집 코너로, 연간(年間) 뉴스 중 세간(世間)을 떠들썩하게 했던 소식들만 모아 전해 드리도록 하겠습니다. 첫 번째 뉴스입니다……

다음 뉴스입니다. 지난 8월 30일 태풍으로 ○○ 지역이 큰 수해를 입었죠. 수해 복구 현장에 인력(人力)이 부족하다는 소식을 듣고 전국에서 자원봉사자들이 한걸음에 달려와 복구를 위해 구슬땀을 흘렸습니다.

피해 지역 소식을 듣고 바로 달려왔어요. 어려운 사람을 돕는 것이 인간(人間)의 도리죠.

우리 국민의 따뜻한 인심(人心)에 정말 감동했습니다.

자원봉사자

피해 지역 주민

요즘 흉흉한 소식도 많이 들리지만, 좌우간(左右間) 아직 우리 세상은 따뜻한 마음을 가진 사람들이 사는 아름다운 곳인 것 같구나.

자원봉사자

피해 지역 주민

네, 그런 것 같아요.

올해 우리 가족 연간 행사 중 기억에 남는 게 있니?

음, 너무 많긴 한데. 가족 여행도 즐거웠고, 이모네 놀러 간 것도 좋았고……

아, 가장 최근 행사로 지난주에 치킨 파티한 거요! 갑자기 그 치킨 맛이 또 생각나는데요?

하하, 이 녀석! 그래 알겠다. 오늘도 치킨 파티할까?

네!

 '人(사람 인)'과 '間(사이 간)'이 들어간 한자어를 알아봅시다.

人 사람 인

間 사이 간

인력(人力)

	力
사람 인	힘 력

뜻 사람의 힘

연간(年間)

年	
해 년	사이 간

'年'는 낱말의 맨 앞에 올 때 '연'이라고 읽어요.

뜻 한 해 동안

인간(人間)

	間
사람 인	사이 간

뜻 사람

세간(世間)

世	
인간 세	사이 간

뜻 세상 일반

인심(人心)

	心
사람 인	마음 심

뜻 사람의 마음

좌우간(左右間)

左	右	
왼 좌	오른 우	사이 간

뜻 이렇든 저렇든 어떻든 간

한자 확인

1 다음 한자의 뜻과 음(소리)으로 알맞은 것을 찾아 선으로 이으세요.

人 · · 사이 · · 인

間 · · 사람 · · 간

어휘 확인

2 다음 뜻에 해당하는 한자어를 찾아 ○표 하세요.

사람의 힘

人間   人力

한 해 동안

年間   世間

어휘 확인

3 다음 ☐ 안에 공통으로 들어갈 한자를 보기 에서 찾아 그 번호를 쓰세요.

보기

① 少   ② 人   ③ 間   ④ 八

• 그 동네는 ☐심 좋기로 소문이 났습니다.

• ☐간은 서로 도우며 살아야 합니다.

→ (   )

4 다음 밑줄 친 한자어의 음(소리)을 쓰세요.

(1) 회사의 <u>年間</u> 매출액이 계속 증가하고 있습니다. → (   )

(2) 너무 걱정하지 말고 <u>左右間</u> 기다려 보기로 합시다. → (   )

5 다음 뜻과 음(소리)에 맞는 한자를 보기 에서 찾아 그 번호를 쓰세요.

> 보기
> ① 人   ② 門   ③ 間   ④ 八

(1) 사람 인 → (   )

(2) 사이 간 → (   )

6 다음 뜻에 맞는 한자어를 보기 에서 찾아 그 번호를 쓰세요.

> 보기
> ① 人力   ② 年間   ③ 世間   ④ 人心

(1) 사람의 마음 → (   )

(2) 세상 일반 → (   )

1 다음 한자의 알맞은 뜻과 음(소리)을 골라 선으로 이으세요.

(1) 農 ·　　· 사내 ·　　· 남

(2) 歌 ·　　· 농사 ·　　· 가

(3) 男 ·　　· 노래 ·　　· 농

2 한자 카드에 쓰인 내용이 맞는 것에 ∨표 하세요.

☐
夫
하늘 천

☐
老
늙을 로

3 다음 설명 에 해당하는 한자어를 찾아 ○표 하세요.

설명
농사짓는 일을 직업으로 하는 사람

農夫　　　農事

4 다음 밑줄 친 한자어의 음(소리)을 쓰세요.

그 (1) 歌手는 (2) 男女노소 모두 좋아합니다.

(1) (　　　　　　　)

(2) (　　　　　　　)

5 다음 ☐ 안에 들어갈 한자를 보기 에서 찾아 그 번호를 쓰세요.

보기
① 農　② 夫　③ 歌

(1) 공☐를 열심히 해서 좋은 대학에 갔습니다. ➡ (　　　　　　　)

(2) 초등학교 졸업식에서 교☐를 불렀습니다. ➡ (　　　　　　　)

6 다음 한자의 뜻을 보기 에서 찾아 그 번호를 쓰세요.

> 보기
> ① 적다　② 늙다　③ 사이

(1) 老 → (　　　　　)

(2) 間 → (　　　　　)

7 다음 그림이 나타내는 한자를 선으로 이으세요.

8 다음 밑줄 친 낱말에 해당하는 한자어를 보기 에서 찾아 그 번호를 쓰세요.

> 보기
> ① 老人　② 老少　③ 老後

● 평균 수명이 길어져 <u>노후</u> 준비를 잘해야 합니다.

→ (　　　　　)

9 다음 밑줄 친 한자어의 음(소리)을 쓰세요.

민호는 10살 된 *少年*이지만 매우 의젓하고 씩씩합니다.

→ (　　　　　)

10 다음 십자말풀이를 보고 □ 안에 들어갈 알맞은 한자를 보기 에서 찾아 그 번호를 쓰세요. → (　　　　　)

> 보기
> ① 間　② 事　③ 色

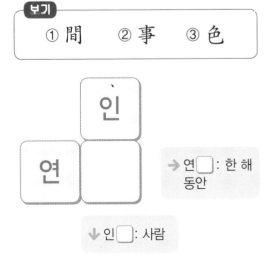

→ 연□: 한 해 동안

↓ 인□: 사람

📖 국어+한문 다음 만화를 읽고, 성어의 뜻을 생각해 보세요.

男 女 老 少

사내 **남**　여자 **녀**　늙을 **로**　적을 **소**

너희들 어제 텔레비전에 가수 별하나 누나 나온 거 봤어?

그럼, 봤지!

요정같이 정말 예쁘더라. 하나 언니 정말 좋아!

하나 누나는 우리나라 남녀노소 모두 좋아하는 가수잖아!

하나 언니가 남녀노소 모두에게 사랑받는 특별한 이유가 있을까?

음, 일단 노래를 잘하잖아! 또 춤은 얼마나 잘 추니?

그리고 나는 별하나 언니 특유의 해맑은 미소가 매력인 것 같아.

맞아, 그 미소는 사람들을 기분 좋고 행복하게 만들어 줘.

◑ 정답 10쪽

2주

◆ 성어의 뜻을 살펴보며 빈칸에 알맞은 한자를 채우세요.

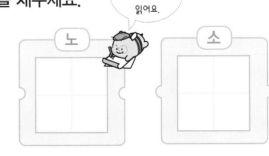

'老(로)'는
여기서는 '노'라고
읽어요.

남	녀	노	소
男	女		

→ '남자와 여자, 늙은이와 젊은이'라는 뜻으로, 모든 사람을 이르는 말

📖 코딩+한문 친구를 만나기로 했습니다. 친구의 특징 을 보고, 순서도를 따라 문제를 해결하여 오른쪽 그림에서 친구를 찾아 ◯표 하세요.

친구의 특징
• 친구는 초등학교 4학년입니다.
• 친구는 남자입니다.
• 친구는 가수가 되는 것이 꿈이어서 가수처럼 멋을 내고 다닙니다.

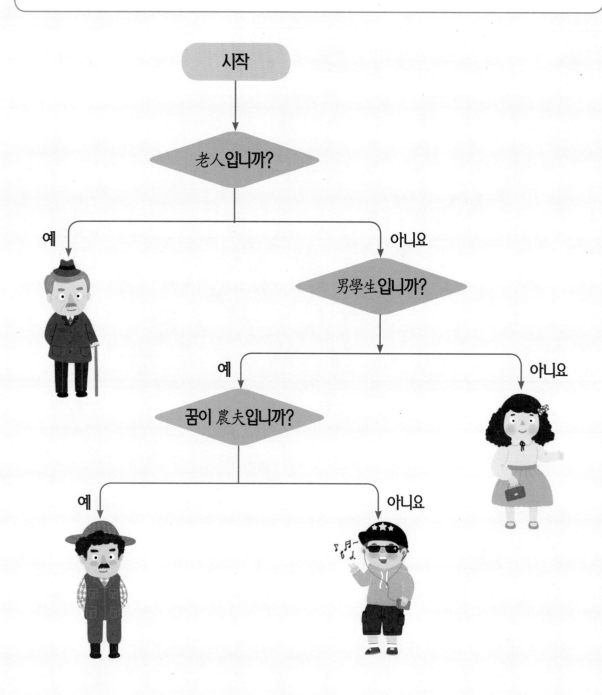

시작

老人입니까?

예 아니요

男學生입니까?

예 아니요

꿈이 農夫입니까?

예 아니요

2주 특강 창의·융합·코딩 생각을 키워요 ③

수학+한문 우주는 공원에 놀러 갔습니다. 공원에는 그림과 같이 많은 사람이 있었습니다. 그림을 보고, 물음에 답해 보세요.

1 그림의 ①~⑦까지의 사람을 다음의 분류 기준에 따라 분류하여 빈칸에 번호를 쓰세요.

분류	老人	少年
번호		

2 그림의 ①~⑯까지의 사람을 다음과 같이 분류할 때 빈칸에 들어갈 알맞은 낱말을 한자로 쓰세요.

분류	( )	여자
번호	①, ②, ④, ⑤, ⑦, ⑩, ⑫, ⑮	③, ⑥, ⑧, ⑨, ⑪, ⑬, ⑭, ⑯

3 그림에서 다음 조건 을 모두 만족시키는 사람에 ∨표 하세요.

조건

· 老人   · 男子   · 歌手

여기가 그 유명한 탐정 사무소죠?

어서 오세요!

저희 집안 대대로 내려오는 보물 상자 안에서 편지가 나왔어요.

편지를 볼 수 있을까요?

여기 이 족자에 쓰여 있습니다.

이 世上에 태어났으니 國家를 위해 헌신하는 삶을 살아라. 나라를 생각하는 마음으로 일하다 보면 자부심과 보람을 느낄 수 있을 것이다.

또 이 세상은 혼자서만 살아가는 곳도 아니고, 내 가족과만 살아가는 곳도 아니다. 그러니 부디 洞과 邑, 村里의 住民들과도 화합하고 서로 사랑하며 살길 바란다.

1일 洞 골 동/밝을 통 | 邑 고을 읍   **2**일 村 마을 촌 | 里 마을 리   **3**일 住 살 주 | 民 백성 민

4일 國 나라 국 | 家 집 가   **5**일 世 인간 세 | 上 윗 상

어떤 한자들이지?

사는 곳과 관련된 한자를 알아야 읽을 수 있어.

洞 邑
村 里
住 民

國 家
世
上

이 세상에 태어났으니 국가를 위해 헌신하는 삶을 살아라. 나라를 생각하는 마음으로 일하다 보면 자부심과 보람을 느낄 수 있을 것이다.

또 이 세상은 혼자서만 살아가는 곳도 아니고, 내 가족과만 살아가는 곳도 아니다. 그러니 부디 동과 읍, 촌리의 주민들과도 화합하고 서로 사랑하며 살길 바란다.

3주

나라를 위해 일하고, 이웃과 서로 사랑하며 살라는 깊은 뜻이 담겨 있네요.

감사합니다. 덕분에 조상님의 뜻을 알 수 있었어요.

이웃사촌 여러분, 모두 사랑합니다!

명랑 탐정도 참! 그럼 동네 지도를 보면서 사는 곳과 관련된 한자를 찾아볼까?

3주에는 무엇을 공부할까? ❷

✱ 이번 주에 배울 한자들이 그림 속에 숨어 있어요. 보기 를 참고해서 한자를 찾아 ◯ 표 하고, 그중 빨간색으로 표시된 한자의 음(소리)을 ☐ 에 써서 문구를 완성하세요.

◑ 정답 12쪽

보기

| 洞 골 동/밝을 통 | 邑 고을 읍 | 村 마을 촌 | 里 마을 리 | 住 살 주 |
| 民 백성 민 | 國 나라 국 | 家 집 가 | 世 인간 세 | 上 윗 상 |

洞 邑

골 동/밝을 통　고을 읍

🔍 다음 글을 읽고, 오늘 배울 한자를 확인해 보세요.

우리 할머니는 읍(邑)내에서 멀리 떨어진 마을[洞]에 사십니다.

그래서 할머니 댁에 가려면 차를 타고 한참을 가야 합니다.

긴 시간이 걸리는 거리이지만 할머니 생각을 하면 기분이 좋아집니다.

할머니는 항상 "우리 강아지 왔어?"하고 반갑게 반겨 주십니다.

할머니 품에 폭 안기면 내 마음도 따뜻해지는 것 같습니다.

오늘 배울 한자

洞 邑

골 동/밝을 통　고을 읍

골 동/밝을 통

물이 있는 곳에 사람들이 같이 모여 산다는 것을 나타낸 글자로, **골짜기** 또는 **고을**을 뜻해요.

QR을 보며 따라 써요!

洞	洞	洞	洞	洞	洞
골 동/밝을 통	골 동/밝을 통	골 동/밝을 통	골 동/밝을 통	골 동/밝을 통	골 동/밝을 통

3주

고을 읍

한 사람이 성[城] 아래에 무릎을 꿇고 앉아 있는 모습을 나타낸 글자로, **고을**을 뜻해요.

QR을 보며 따라 써요!

邑	邑	邑	邑	邑	邑
고을 읍	고을 읍	고을 읍	고을 읍	고을 읍	고을 읍

오랜만에 할머니 댁에 오니 기분이 좋아요. 할머니는 어디 가셨어요?

할머니는 읍내(邑內)에 있는 보건소에 다녀온다고 하셨어.

그럼 동구(洞口) 밖에 나가서 할머니 기다릴까요?

그래. 그러자.

어! 할머니께서 오고 계세요.

다들 동문(洞門)까지 나와서 기다리고 있었구나.

보건소는 잘 다녀오셨어요?

응. 우리 읍리(邑里)에 딱 하나 있는 보건소인데 읍민(邑民)들이 모두 친절하다고 칭찬하는 곳이야.

다행이네요.

할머니랑 같은 동민(洞民)이면 자주 챙겨 드릴 텐데 아쉬워요. 자주 와서 효도 할게요!

우리 노을이 기특하기도 하지.

🔍 '洞(골 동/밝을 통)'과 '邑(고을 읍)'이 들어간 한자어를 알아봅시다.

 洞 골 동 / 밝을 통

 邑 고을 읍

동구(洞口)

口	
골 동	입 구

뜻 동네 어귀

읍내(邑內)

內	
고을 읍	안 내

뜻 읍의 구역 안

동문(洞門)

門	
골 동	문 문

뜻 동네 입구에 세운 문

읍리(邑里)

里	
고을 읍	마을 리

뜻 읍과 촌락을 이르는 말

동민(洞民)

民	
골 동	백성 민

뜻 한동네에서 같이 사는 사람

읍민(邑民)

民	
고을 읍	백성 민

뜻 읍에 사는 사람

😊 한자 확인

1 다음 한자의 뜻과 음(소리)으로 알맞은 것을 찾아 선으로 이으세요.

洞

邑

골 동/밝을 통

노래 가

빛 색

고을 읍

🐻 어휘 확인

2 다음 한자어의 뜻을 바르게 나타낸 것에 V표 하세요.

邑民

☐ 동네 어귀

☐ 읍에 사는 사람

🐻 어휘 확인

3 다음 설명 에 해당하는 낱말을 찾아 ◯표 하세요.

> 설명
>
> 읍과 촌락을 이르는 말

동민

동문

읍리

4 다음 밑줄 친 한자어의 음(소리)을 쓰세요.

(1) 洞口 밖 길에 아카시아꽃이 활짝 피었습니다. → (   )

(2) 할머니께서는 邑內에서 연세가 가장 많으십니다. → (   )

5 다음 뜻과 음(소리)에 맞는 한자를 보기 에서 찾아 그 번호를 쓰세요.

> 보기
>
> ① 手   ② 洞   ③ 邑   ④ 間

(1) 골 동/밝을 통 → (   )

(2) 고을 읍 → (   )

6 다음 뜻에 맞는 한자어를 보기 에서 찾아 그 번호를 쓰세요.

> 보기
>
> ① 洞民   ② 邑內   ③ 邑里   ④ 洞門

(1) 동네 입구에 세운 문 → (   )

(2) 한동네에서 같이 사는 사람 → (   )

村 里

마을 촌　　마을 리

🔍 다음 글을 읽고, 오늘 배울 한자를 확인해 보세요.

산촌(村)에서 말을 타 본 적이 있어요.

말 위에서 본 마을[里] 풍경은 참 멋있었어요.

집들이 옹기종기 모여 있는 모습이 정겹게 느껴졌어요.

말을 타고 시원스레 들판을 달리니 마치 날아갈 듯한 기분이 들었어요.

높은 가을 하늘 아래 말을 타며 보낸 시간을 오래도록 기억하고 싶어요.

오늘 배울 한자

村 里

마을 촌　　마을 리

마을 촌

수호신으로 삼는 큰 나무[木]를 중심으로 질서 있게[寸] 모여 산다는 데서 **마을**을 뜻해요.

QR을 보며 따라 써요!

村	村	村	村	村	村
마을 촌	마을 촌	마을 촌	마을 촌	마을 촌	마을 촌

마을 리

밭과 토지가 있는 곳에 사람들이 모여 마을을 이룬다는 데서 **마을**을 뜻해요.

QR을 보며 따라 써요!

里	里	里	里	里	里
마을 리	마을 리	마을 리	마을 리	마을 리	마을 리

우주야, 무슨 상상을 하고 있니?

천리마(千里馬)를 타고 삼천리(三千里) 방방곡곡을 여행하는 상상을 했어.

우아, 멋지다.

우주야, 넌 말을 타 본 적 있니?

응. 아버지 친구가 사시는 산촌(山村)에 가서 말을 탔어.

촌가(村家) 사이로 말을 타고 지나가는데 풍경이 참 멋졌어.

나도 말을 타 보고 싶어.

아버지 친구분은 촌리(村里)에서 촌장(村長)을 맡고 계시는 아주 친절하신 분이야. 같이 가 볼래?

좋아!

야호! 신난다!

🔍 '村(마을 촌)'과 '里(마을 리)'가 들어간 한자어를 알아봅시다.

村 마을 촌

里 마을 리

산촌(山村)

山	
메 산	마을 촌

뜻 산속에 있는 마을

천리마(千里馬)

千		馬
일천 천	마을 리	말 마

'里'는 거리의 단위를 뜻하기도 해요.

뜻 하루에 천 리를 달릴 수 있을 정도로 좋은 말

촌가(村家)

	家
마을 촌	집 가

뜻 시골 마을에 있는 집

삼천리(三千里)

三	千	
석 삼	일천 천	마을 리

뜻 우리나라 전체

촌장(村長)

	長
마을 촌	긴 장

'長'은 '우두머리'라는 뜻도 있어요.

뜻 한 마을의 우두머리

촌리(村里)

村	
마을 촌	마을 리

뜻 주로 시골에서, 여러 집이 모여 사는 곳

村 마을 촌 | 里 마을 리

기초 실력을 키워요

😺한자 확인

1 다음 한자의 뜻과 음(소리)을 쓰세요.

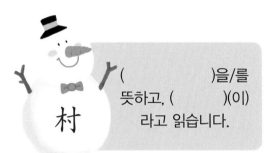

村 ( )을/를 뜻하고, ( )(이)라고 읽습니다.

里 ( )을/를 뜻하고, ( )(이)라고 읽습니다.

🐻어휘 확인

2 다음에서 '산촌(山村)'의 뜻을 바르게 설명한 것을 찾아 ◯표 하세요.

| 한 마을의 우두머리 | 산속에 있는 마을 | 시골 마을에 있는 집 |

🐻어휘 확인

3 그림 속 내용이 맞으면 '예', 틀리면 '아니요'에 ◯표 하세요.

'村里'는 '촌가'라고 읽습니다.
예 / 아니요

'村長'은 '한 마을의 우두머리'를 뜻합니다.
예 / 아니요

급수 유형

4 다음 밑줄 친 한자어의 음(소리)을 쓰세요.

(1) 농촌에 <u>村家</u>가 늘어서 있습니다. ➜ (   )

(2) 정월 대보름 달이 <u>山村</u> 곳곳을 비춥니다. ➜ (   )

급수 유형

5 다음 한자의 뜻과 음(소리)에 맞는 한자를 보기 에서 찾아 그 번호를 쓰세요.

보기
① 邑	② 里	③ 洞	④ 村

(1) 마을 촌 ➜ (   )

(2) 마을 리 ➜ (   )

3주

급수 유형

6 다음 밑줄 친 낱말에 해당하는 한자어를 보기 에서 찾아 그 번호를 쓰세요.

보기
① 村長	② 村家	③ 村里	④ 山村

(1) 외할아버지는 마을의 <u>촌장</u>이십니다. ➜ (   )

(2) <u>촌리</u> 사람들이 한곳에 모였습니다. ➜ (   )

住民

살 주   백성 민

🔍 다음 글을 읽고, 오늘 배울 한자를 확인해 보세요.

우리 반 반장 선거에 출마했어요.

처음으로 반장 선거에 나가게 되었어요.

시장이 주민(住民)의 마음을 헤아리듯이

나도 반 친구들의 마음을 잘 이해해 주는 반장이 되고 싶어요.

"친구들을 배려하고 약속을 실천하는 반장이 되고 싶습니다!"

반장 선거

오늘 배울 한자

住民

살 주   백성 민

살 주

사람[亻]이 일정한 곳에 주인[主]으로 산다는 데서 **살다**를 뜻하게 되었어요.

QR을 보며 따라 써요!

住	住	住	住	住	住
살 주	살 주	살 주	살 주	살 주	살 주

백성 민

초목의 싹이 많이 나 있는 모습을 본뜬 글자예요. 풀싹이 바람에 눕듯 임금을 따르는 사람이라는 데서 **백성**을 뜻해요.

QR을 보며 따라 써요!

民	民	民	民	民	民
백성 민	백성 민	백성 민	백성 민	백성 민	백성 민

3주

3일
사는 곳 한자
住 살 주 | 民 백성 민

이번 시장 선거에서는 누가 당선이 될까요?

지역 주민(住民)의 민심(民心)을 헤아리는 사람이 당선되지 않을까?

어떤 사람이 시장이 되면 좋을까요?

국민(國民)들이 안주(安住)할 수 있게 하는 사람이 되면 좋겠어요.

시장 선거 투표는 어떻게 이루어져요?

주소지(住所地)에 해당하는 곳의 시장을 투표할 수 있어.

맞아. 우리 시에 내주(內住)하는 만 18세 이상의 주민이면 이번 시장 선거에 참여할 수 있단다.

우리 반도 곧 반장 선거가 있어요. 제가 반장이 될 거예요.

그래? 이유가 뭐니?

인기쟁이니까요! 호호!

어이구.

🔍 '住(살 주)'와 '民(백성 민)'이 들어간 한자어를 알아봅시다.

살 주

백성 민

안주(安住)

편안 안	살 주

뜻 한곳에 자리를 잡고 편안히 삶.

주민(住民)

살 주	백성 민

뜻 일정한 지역에 살고 있는 사람

주소지(住所地)

	所	地
살 주	바 소	땅 지

뜻 법률적인 문서에 기록되어 있는 거주 장소

민심(民心)

백성 민	마음 심

뜻 백성의 마음

내주(內住)

안 내	살 주

뜻 안에 삶.

국민(國民)

나라 국	백성 민

뜻 국가를 구성하는 사람

🐻 한자 확인

1 다음 뜻과 음(소리)에 해당하는 한자를 찾아 ⭕표 하세요.

🐻 어휘 확인

2 다음 뜻에 해당하는 낱말을 찾아 선으로 이으세요.

법률적인 문서에 기록되어
있는 거주 장소 •

• 국민

국가를 구성하는 사람 •

• 주소지

🐻 어휘 확인

3 다음 문장의 내용이 맞으면 '예', 틀리면 '아니요'에 ⭕표 하세요.

'민심(民心)'은 '백성의 마음'을
뜻합니다.

 예   아니요

4 다음 밑줄 친 한자어의 음(소리)을 쓰세요.

(1) **住民**을 대상으로 공청회가 열렸습니다. → (   )

(2) 국가의 행정은 **國民**의 세금으로 이루어집니다. → (   )

5 보기 와 같이 다음 한자의 뜻과 음(소리)을 쓰세요.

보기

村 → 마을 촌

(1) 住 → (   )

(2) 民 → (   )

3주

6 다음 뜻에 맞는 한자어를 보기 에서 찾아 그 번호를 쓰세요.

보기

① 內住   ② 住民   ③ 國民   ④ 安住

(1) 안에 삶. → (   )

(2) 한곳에 자리를 잡고 편안히 삶. → (   )

國 家

나라 국　　집 가

 다음 글을 읽고, 오늘 배울 한자를 확인해 보세요.

나는 여행하는 것을 좋아해요.
다음에 커서 국(國)토 순례를 하는 것이 꿈이에요.
오랜 시간 집[家]을 떠나 있는 것은 걱정이 되기도 하지만
국(國)내 곳곳을 여행하면서
새롭게 배울 수 있는 점도 많을 거예요.
얼마나 재미있을지 벌써 기대가 돼요.

오늘 배울 한자

國 家

나라 국　　집 가

✎ **연하게 쓰인 한자를 따라 써 본 후, 빈칸에 바르게 쓰세요.**

나라 국

백성들과 땅을 지키기 위해 국경선 안을 지키는 모습을 나타낸 글자로, **나라**를 뜻해요.

QR을 보며 따라 써요!

國	國	國	國	國	國
나라 국	나라 국	나라 국	나라 국	나라 국	나라 국

집 가

옛날, 집 안에서 돼지[豕]를 기른 데서 만들어진 글자로, **집**을 뜻해요.

QR을 보며 따라 써요!

家	家	家	家	家	家
집 가	집 가	집 가	집 가	집 가	집 가

3주

우주야, 넌 이다음에 커서 뭘 해 보고 싶니?

국도(國道)를 따라서 국토(國土) 순례를 해 보고 싶어.

국토 순례를 하면서 국내(國內) 곳곳을 여행하면 좋겠어.

좋은 생각이다.

태양아, 넌 커서 뭘 해 보고 싶어?

노벨 문학상을 받아서 국가(國家)를 빛내는 거야. 어때?

우아, 멋지다!

시를 쓰는 문학가(文學家)가 되어 보고 싶어.

노을아, 네 꿈은 뭐야?

난 먹는 걸 좋아해. 그래서 생각해 봤는데

요리 활동가(活動家)가 되면 좋을 것 같아!

하하.

'國(나라 국)'과 '家(집 가)'가 들어간 한자어를 알아봅시다.

國 나라 국

家 집 가

국도(國道)

道	
나라 국	길 도

뜻 나라에서 직접 관리하는 도로

문학가(文學家)

文	學	
글월 문	배울 학	집 가

'家'는 '전문가'라는 뜻도 있어요

뜻 문학을 창작하거나 연구하는 사람

국토(國土)

土	
나라 국	흙 토

뜻 나라의 땅

국가(國家)

國	
나라 국	집 가

뜻 일정한 영토를 보유하며, 거기 사는 사람들로 구성되고, 주권을 가진 집단. 나라

국내(國內)

內	
나라 국	안 내

뜻 나라의 안

활동가(活動家)

活	動	
살 활	움직일 동	집 가

뜻 어떤 일의 성과를 거두기 위하여 적극적으로 힘쓰는 사람

4일

國 나라 국 ㅣ 家 집 가

기초 실력을 키워요

 한자 확인

1 다음 한자의 뜻과 음(소리)으로 알맞은 것을 찾아 ○표 하세요.

國

백성 민 　나라 국

家

집 가 　살 주

어휘 확인

2 다음 뜻에 해당하는 한자어를 찾아 선으로 이으세요.

나라의 안 ・

・ 國內

・ 國道

어휘 확인

3 다음 문장의 뜻에 알맞은 낱말을 찾아 ○표 하세요.

그는 시집을 다섯 권이나 낸 (국가 / 문학가)
입니다.

急수 유형

4 다음 밑줄 친 한자어의 음(소리)을 쓰세요.

(1) 명절이 되어 <u>國道</u>가 귀성 차량으로 붐볐습니다. → (   )

(2) 경준이의 아버지는 <u>國家</u> 공무원입니다. → (   )

急수 유형

5 다음 뜻과 음(소리)에 맞는 한자를 보기 에서 찾아 그 번호를 쓰세요.

> 보기
>
>   ① 民   ② 家   ③ 國   ④ 住

(1) 나라 국 → (   )

(2) 집 가 → (   )

急수 유형

6 다음 밑줄 친 낱말에 해당하는 한자어를 보기 에서 찾아 그 번호를 쓰세요.

> 보기
>
>   ① 國土   ② 國家   ③ 家門   ④ 國內

(1) 갯벌을 개척하여 <u>국토</u>를 넓힙니다. → (   )

(2) <u>국내</u> 여행을 하기 위해 계획을 세웠습니다. → (   )

世上

인간 세   윗 상

🔍 다음 글을 읽고, 오늘 배울 한자를 확인해 보세요.

합창단의 노래를 들었어요.

세상(世上) 어디에서도 들어 본 적 없는 아름다운 목소리였어요.

마치 하늘 위[上]에 사는 천사들의 목소리 같았어요.

모두가 이 노래를 듣는다면 온 세상(世上)에 평화가 찾아올 거예요.

오늘 배울 한자

世上

인간 세   윗 상

✏️ **연하게 쓰인 한자를 따라 써 본 후, 빈칸에 바르게 쓰세요.**

인간 세

열십자[十] 세 개를 합하여 사람의 한 세대가 30년임을 나타낸 글자로, **인간, 세대, 세상**을 뜻해요.

QR을 보며 따라 써요!

世	世	世	世	世	世
인간 세	인간 세	인간 세	인간 세	인간 세	인간 세

윗 상

기준이 되는 선보다 위에 있음을 나타내는 글자로, **위**를 뜻해요.

QR을 보며 따라 써요!

上	上	上	上	上	上
윗 상	윗 상	윗 상	윗 상	윗 상	윗 상

3주

 '世(인간 세)'와 '上(윗 상)'이 들어간 한자어를 알아봅시다.

세계(世界)

界	
인간 세	지경 계

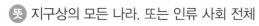

뜻 지구상의 모든 나라. 또는 인류 사회 전체

세상(世上)

世	
인간 세	윗 상

뜻 사람이 사는 모든 사회

불세출(不世出)

不		出
아닐 불	인간 세	날 출

뜻 좀처럼 세상에 나타나지 아니할 만큼 뛰어남.

천상(天上)

天	
하늘 천	윗 상

뜻 하늘 위

후세(後世)

後	
뒤 후	인간 세

뜻 다음에 오는 세상

상중하(上中下)

	中	下
윗 상	가운데 중	아래 하

뜻 위와 가운데와 아래. 또는 그런 세 등급

5일

사는 곳 한자

世 인간 세 | 上 윗 상

기초 실력을 키워요

한자 확인

1 다음 한자의 뜻과 음(소리)으로 알맞은 것을 찾아 선으로 이으세요.

世 ·　　　　· 위 ·　　　　· 세

上 ·　　　　· 인간 ·　　　　· 상

어휘 확인

2 다음 뜻에 해당하는 한자어를 찾아 ○표 하세요.

사람이 사는 모든 사회

後世　　世上

하늘 위

天上　　世界

어휘 확인

3 힌트를 보고 다음 빈칸에 들어갈 알맞은 글자를 써넣으세요.

후 □

□ 계

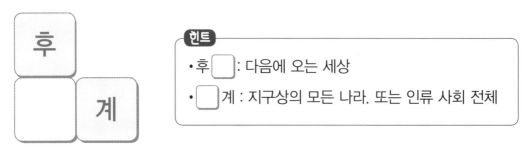

힌트

• 후 □ : 다음에 오는 세상

• □ 계 : 지구상의 모든 나라. 또는 인류 사회 전체

급수 유형

4 다음 밑줄 친 한자어의 음(소리)을 쓰세요.

(1) 아기가 <u>天上</u>에서 내려온 천사처럼 예쁩니다. → (　　　　　)

(2) 영어 실력을 <u>上中下</u>로 나누어 평가했습니다. → (　　　　　)

급수 유형

5 보기 와 같이 다음 한자의 뜻과 음(소리)을 쓰세요.

> 보기
>
> 國 → 나라 국

(1) 世 → (　　　　　)

(2) 上 → (　　　　　)

급수 유형

6 다음 뜻에 맞는 한자어를 보기 에서 찾아 그 번호를 쓰세요.

> 보기
>
> ① 世界　　　② 世上　　　③ 不世出　　　④ 後世

(1) 좀처럼 세상에 나타나지 아니할 만큼 뛰어남. → (　　　　　)

(2) 다음에 오는 세상 → (　　　　　)

3주

1 다음 그림이 나타내는 한자를 선으로 이으세요.

· 洞

· 民

2 다음 밑줄 친 한자어의 음(소리)을 쓰세요.

<u>邑內</u> 시골 장터에서 사과를 샀습니다.

→ (   )

3 보기 와 같이 다음 한자의 뜻과 음(소리)을 쓰세요.

보기

村 → 마을 촌

● 里 → (   )

4 다음 ☐ 안에 들어갈 한자어를 보기 에서 찾아 그 번호를 쓰세요.

보기

① 內住 ② 村家 ③ 國家

● ☐☐가 삼삼오오 모여 있습니다. → (   )

5 다음 ☐ 안에 들어갈 한자를 보기 에서 찾아 그 번호를 쓰세요.

보기

① 村   ② 邑   ③ 住

● 가정의 화목함 속에서 安☐의 평화를 느낍니다.

→ (   )

6 다음 밑줄 친 낱말에 해당하는 한자어를 에서 찾아 그 번호를 쓰세요.

보기
① 國民 ② 山村 ③ 國道

● 나는 대한민국 국민입니다.

→ (   )

7 다음 한자의 뜻을 보기 에서 찾아 그 번호를 쓰세요.

보기
① 인간   ② 집   ③ 나라

(1) 國 → (   )

(2) 家 → (   )

8 다음 뜻에 해당하는 한자어를 찾아 선으로 이으세요.

하늘 위 •

• 世上

• 天上

9 다음 십자말풀이를 보고 □ 안에 들어갈 알맞은 한자를 에서 찾아 그 번호를 쓰세요. → (   )

보기
① 國   ② 家   ③ 洞

내

토

→ □내 : 나라의 안

↓ □토 : 나라의 땅

10 다음 밑줄 친 낱말에 해당하는 한자어를 보기 에서 찾아 그 번호를 쓰세요.

보기
① 洞門 ② 世上 ③ 住民

● 과학의 발달로 편리한 세상이 되었습니다. → (   )

📖 국어+한문 다음 만화를 읽고, 성어의 뜻을 생각해 보세요.

世 上 萬 事

인간 **세**　윗 **상**　일만 **만**　일 **사**

3주

◆ 성어의 뜻을 살펴보며 빈칸에 알맞은 한자를 채우세요.

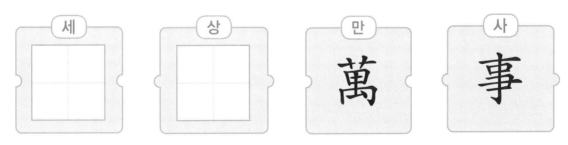

→ '세상의 만 가지 일'이라는 뜻으로, 세상에서 일어나는 온갖 일을 이르는 말

📖 코딩+한문 다음 조건 에 따라 움직였을 때 도착하는 곳에 ◯표 해 보세요.

조건

1. '洞'은 '읍'이라고 읽습니다.
   맞으면 아래로 두 칸 이동합니다.
   틀리면 오른쪽으로 두 칸 이동합니다.

2. '里'의 뜻과 음(소리)는 '마을 촌'입니다.
   맞으면 오른쪽으로 한 칸 이동합니다.
   틀리면 아래로 두 칸 이동합니다.

3. '住民'은 '주민'이라고 읽습니다.
   맞으면 오른쪽으로 한 칸 이동합니다.
   틀리면 아래로 네 칸 이동합니다.

4. '家'의 뜻은 '나라'입니다.
   맞으면 오른쪽으로 한 칸 이동합니다.
   틀리면 아래로 한 칸 이동합니다.

5. '世上'은 '사람이 사는 모든 사회'라는 뜻입니다.
   맞으면 아래로 두 칸 이동합니다.
   틀리면 아래로 한 칸 이동합니다.

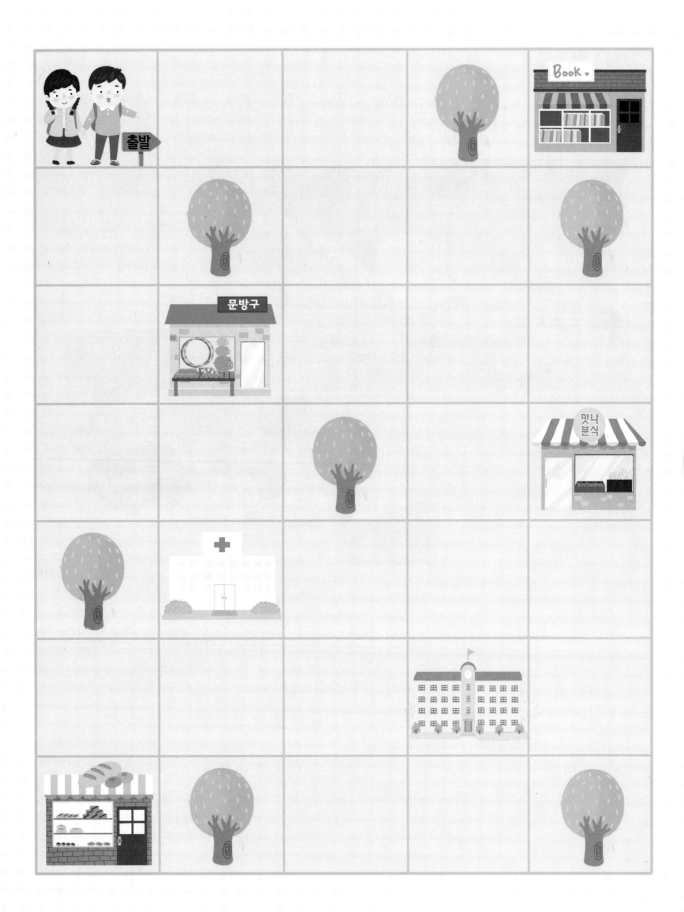

📖 사회+한문 다음은 우주네 지역 사회의 문제에 대해 설명한 글입니다. 글을 읽고, 물음에 답해 보세요.

우주네 동네에서는 최근 들어 주차 문제로 ㉠주민 간에 다툼이 자주 발생하고 있습니다. 자동차 수에 비해 주차 공간의 수가 부족하기 때문입니다. 특히 밤이 되면 골목길은 차들이 붐벼 주차 전쟁을 방불케 합니다. 남의 집 앞에 주차를 하거나 골목길에 주차를 하면 주민들과 차들이 통행하는 데 불편을 겪을 수밖에 없습니다.

이러한 지역 사회 문제는 ㉡나라의 노력만으로 해결하기가 어렵습니다. 우주네 지역 사회의 문제를 해결하기 위해 어떤 노력이 필요할까요?

1 ㉠의 음(소리)에 해당하는 한자어를 보기 에서 찾아 그 번호를 쓰세요.

보기
① 村里 ② 住民 ③ 世上 ④ 國家

● ㉠ 주민 ➔ (   )

2 ㉡을 뜻하는 한자를 보기 에서 찾아 그 번호를 쓰세요.

보기
① 洞 ② 邑 ③ 國 ④ 上

● ㉡ 나라 ➔ (   )

3 우주네 지역 사회 문제를 해결하기 위한 방안으로 알맞지 <u>않은</u> 것은 어느 것입니까? (   )

① 공청회에 참여합니다.
② 주민 회의에 참여합니다.
③ 시민 단체를 통해 활동합니다.
④ 지역 사회 문제에 무관심한 태도를 보입니다.

똑똑! 계십니까?

안녕하세요! 무슨 일이신가요?

만나기로 약속한 사람이 이 쪽지를 전해 주었어요. 이 사람을 꼭 만날 수 있게 도와주세요.

쪽지를 볼 수 있을까요?

네. 여기 있어요.

이렇게 쪽지로 약속 장소를 정하는 것을 이해해 주길 바랍니다. 그간 말하지 못할 속사정이 생겨 쪽지로 소식을 전할 수밖에 없었습니다.

나를 만나려면 광장으로 오십시오. 광장의 中心에서 白旗를 所有하고 直立 자세로 있는 사람을 찾으면 됩니다. 나는 건물 안으로의 出入이 제한되어 있어 건물로는 들어갈 수가 없습니다. 그러니 반드시 광장에서 나를 찾길 바랍니다.

약속 장소는 광장이군!

이 한자들에 대해 알아야
쪽지를 이해할 수 있어.
차분하게 읽어 보자.

이렇게 쪽지로 약속 장소를 정하는 것을 이해해 주길 바랍니다. 그간 말하지 못할 속사정이 생겨 쪽지로 소식을 전할 수밖에 없었습니다.

나를 만나려면 광장으로 오십시오. 광장의 중심에서 백기를 소유하고 직립 자세로 있는 사람을 찾으면 됩니다. 나는 건물 안으로의 출입이 제한되어 있어 건물로는 들어갈 수가 없습니다. 그러니 반드시 광장에서 나를 찾길 바랍니다.

백기?

백기는 흰색 깃발을 말해.
광장에서 흰색 깃발을 들고
꼿꼿이 서 있는 사람을 찾으면
되겠군!

약속한 때가 되었어요.
어서 광장으로 가 봐야겠어요.

좋아요!
광장으로 가 봅시다.

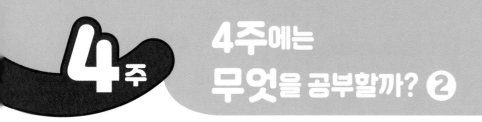

4주에는 무엇을 공부할까? ❷

★ 이번 주에 배울 한자들이 그림 속에 숨어 있어요. 보기 를 참고해서 한자를 찾아 ○표 하고, ⬤에 해당 한자의 음(소리)을 쓰세요. 그리고 의뢰인이 찾고 있는 사람을 찾아 ☆표 하세요.

出 날 출   入 들 입   白 흰 백   旗 기 기   中 가운데 중
心 마음 심   所 바 소   有 있을 유   直 곧을 직   立 설 립

出 入

날 출　　　들 입

🔍 다음 글을 읽고, 오늘 배울 한자를 확인해 보세요.

우리 아빠는 등산을 참 좋아하십니다.
산에 들어가[入] 공기를 쐬면 기분이 상쾌하다고 하십니다.
오늘은 나도 오랜만에 밖으로 나가[出] 산에 올랐습니다.
산 정상에 오르기까지 힘이 들겠지만
꼭 아빠와 함께 산 정상에 우뚝 서겠다고
스스로 다짐해 보았습니다.

오늘 배울 한자

出 入
날출　　들입

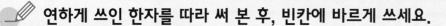
✏️ **연하게 쓰인 한자를 따라 써 본 후, 빈칸에 바르게 쓰세요.**

날 출

발이 입구 밖으로 나가는 모습을 본뜬 글자로, **나가다**를 뜻해요.

QR을 보며 따라 써요!

出	出	出	出	出	出
날 출	날 출	날 출	날 출	날 출	날 출

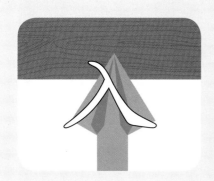

들 입

화살촉처럼 생긴 날카로운 물건을 본뜬 글자로, 쉽게 파고 들어갈 수 있다는 데서 **들어가다**를 뜻해요.

QR을 보며 따라 써요!

入	入	入	入	入	入
들 입	들 입	들 입	들 입	들 입	들 입

4주

노을아, 등산에 입문(入門)하더니 제법이구나.

산에 올라 일출(日出)을 보니 너무나 멋있어요.

그렇지? 오랜만에 외출(外出)해서 바람도 쐬고 정말 좋구나.

맞아요! 저쪽으로 가 볼까요?

거긴 출입(出入)이 통제된 곳이어서 가면 안 된단다.

그렇구나.

밥은 언제 먹어요?

하하. 입산(入山)해서 1시간 지났구나. 산에 열심히 올랐으니 배가 고플 만도 하지.

산에서 내려가면 식당이 있어. 거기에서 점심 먹자.

출생(出生)한 후로 이렇게 배가 고픈 적은 처음인 것 같아요.

그럼 간식 먹고 어서 하산하자.

야호! 신난다!

🔍 '出(날 출)'과 '入(들 입)'이 들어간 한자어를 알아봅시다.

 날 출

 들 입

일출(日出)

日	
날 일	날 출

😊 뜻 해가 뜸.

입문(入門)

	門
들 입	문 문

😊 뜻 무엇을 배우는 길에 처음 들어섬.

외출(外出)

外	
바깥 외	날 출

😊 뜻 집이나 근무지 따위에서 벗어나 잠시 밖으로 나감.

출입(出入)

出	
날 출	들 입

😊 뜻 어느 곳을 드나듦.

출생(出生)

	生
날 출	날 생

😊 뜻 세상에 나옴.

입산(入山)

	山
들 입	메 산

😊 뜻 산속에 들어감.

4주

出 날 출 | 入 들 입

한자 확인

1 다음 뜻과 음(소리)에 해당하는 한자를 찾아 ○표 하세요.

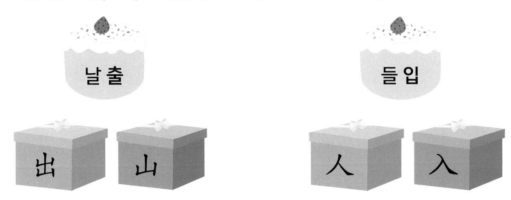

날 출

出　山

들 입

人　入

어휘 확인

2 힌트 를 보고, 다음 빈칸에 들어갈 알맞은 글자를 써넣으세요.

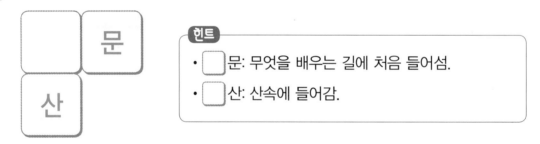

□ 문

산

힌트

· □문: 무엇을 배우는 길에 처음 들어섬.
· □산: 산속에 들어감.

어휘 확인

3 다음 설명 에 해당하는 한자어를 찾아 ○표 하세요.

설명

어느 곳을 드나듦.

出生　　　　　出入　　　　　日出

기초 집중 연습

급수 유형

4 다음 밑줄 친 한자어의 음(소리)을 쓰세요.

(1) 오랜만의 **外出**에 마음이 들떴습니다. → (   )

(2) 화재가 발생하여 터널 **出入**이 통제되었습니다. → (   )

급수 유형

5 보기와 같이 다음 한자의 뜻과 음(소리)을 쓰세요.

보기

世 → 인간 세

(1) 出 → (   )

(2) 入 → (   )

급수 유형

6 다음 뜻에 맞는 한자어를 보기에서 찾아 그 번호를 쓰세요.

보기

① 入門   ② 日出   ③ 入山   ④ 出生

(1) 해가 뜸. → (   )

(2) 세상에 나옴. → (   )

白 旗
흰 백　　기 기

🔍 다음 글을 읽고, 오늘 배울 한자를 확인해 보세요.

오늘은 기다리고 기다리던 운동회 날이에요.

"백(白)군 이겨라! 백(白)군 이겨라!"

친구들 앞에서 깃발[期]을 흔들며 우리 편인 백(白)군을 열심히 응원했어요.

"달려라! 달려라!" 우리 팀 이기라고 목이 쉬어라 외쳤지만

정작 운동회가 끝나고서는 다 같이 어깨동무하고 웃었어요.

오늘 배울 한자

白 旗
흰 백　　기 기

흰 백

촛불의 심지 모양을 본뜬 글자로, 촛불을 켜면 밝기 때문에 **밝다, 희다**라는 뜻이 되었어요.

QR을 보며 따라 써요!

白	白	白	白	白	白
흰 백	흰 백	흰 백	흰 백	흰 백	흰 백

기 기

바람에 펄럭이고 있는 깃발의 모양을 본뜬 글자로, **깃발**을 뜻해요.

QR을 보며 따라 써요!

旗	旗	旗	旗	旗	旗
기 기	기 기	기 기	기 기	기 기	기 기

운동장에 만국기(萬國旗)가 예쁘다.

와! 곧 운동회라는 게 실감이 난다.

우주야, 넌 백군(白軍) 기수(旗手)를 맡았지?

응!

백색(白色) 옷도 입고, 백기(白旗)를 들고 열심히 응원해야지.

벌써 기수가 된 것 같네.

그렇지? 열심히 뛰면서 응원할 거야.

온통 운동회 생각뿐이구나? 그나저나 오늘 있을 수학 시험공부는 했니?

아니. 머릿속이 백지(白紙)가 된 기분인걸.

하하.

🔍 '白(흰 백)'과 '旗(기 기)'가 들어간 한자어를 알아봅시다.

백군(白軍)

흰 백	군사 군

뜻 색깔을 써서 편을 가를 때 흰색 쪽의 편

만국기(萬國旗)

일만 만	나라 국	기 기

뜻 세계 여러 나라의 국기

백색(白色)

흰 백	빛 색

뜻 눈이나 우유의 빛깔과 같이 밝고 선명한 색

기수(旗手)

기 기	손 수

뜻 행사 때 대열의 앞에 서서 기를 드는 일을 맡은 사람

백지(白紙)

흰 백	종이 지

뜻 아무것도 적지 않은 비어 있는 종이

백기(白旗)

흰 백	기 기

뜻 흰 빛깔의 기

한자 확인

1 다음 한자 카드의 □ 안에 들어갈 한자나 한자의 뜻과 음(소리)을 쓰세요.

흰 백

→ (   )

旗

→ (   )

어휘 확인

2 ◯에 알맞은 글자를 넣어 낱말을 만드세요.

아무것도 적지 않은
비어 있는 종이

◯ 지

흰 빛깔의 기

백 ◯

어휘 확인

3 다음 문장의 내용이 맞으면 '예', 틀리면 '아니요'에 ◯표 하세요.

'만국기(萬國旗)'는 '세계 여러 나라의 국기'를
뜻합니다.

 예

 아니요

급수 유형

4 다음 뜻과 음(소리)에 맞는 한자를 보기 에서 찾아 그 번호를 쓰세요.

보기

① 白   ② 旗   ③ 入   ④ 出

(1) 흰 백 → (   )

(2) 기 기 → (   )

급수 유형

5 다음 밑줄 친 낱말에 해당하는 한자어를 보기 에서 찾아 그 번호를 쓰세요.

보기

① 白色   ② 白旗   ③ 白軍   ④ 旗手

(1) 태극기를 든 기수가 입장했습니다. → (   )

(2) 백기를 내걸고 백군을 응원했습니다. → (   )

급수 유형

6 다음 뜻에 맞는 한자어를 보기 에서 찾아 그 번호를 쓰세요.

보기

① 旗手   ② 白軍   ③ 白色   ④ 白紙

(1) 색깔을 써서 편을 가를 때 흰색 쪽의 편 → (   )

(2) 눈이나 우유의 빛깔과 같이 밝고 선명한 색 → (   )

中 心

가운데 중 마음 심

🔍 다음 글을 읽고, 오늘 배울 한자를 확인해 보세요.

나는 잠꾸러기예요.
아침이 밝았지만 한밤중(中)인줄 알고 늦잠을 자요.
"노을아, 일어나야지."하고 엄마가 깨우는 소리가 들려요.
하지만 조금만 더 자고 싶은 마음[心]이 드는 건 왜일까요?
시간이 잠깐 멈추었으면 좋겠어요.

오늘 배울 한자

中 心

가운데 중 마음 심

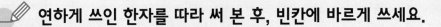
가운데 중

군사 진영의 중앙에 꽂혀 있는 깃발의 모습을 본뜬 글자로, 가운데를 뜻해요.

QR을 보며 따라 써요!

中	中	中	中	中	中
가운데 중	가운데 중	가운데 중	가운데 중	가운데 중	가운데 중

마음 심

사람의 심장 모양을 본뜬 글자로, 마음을 뜻해요.

QR을 보며 따라 써요!

心	心	心	心	心	心
마음 심	마음 심	마음 심	마음 심	마음 심	마음 심

4주

🔍 '中(가운데 중)'과 '心(마음 심)'이 들어간 한자어를 알아봅시다.

 가운데 중

 마음 심

중천(中天)

| 가운데 중 | 하늘 천 |

뜻 하늘의 한가운데

심기(心氣)

| 마음 심 | 기운 기 |

뜻 마음으로 느끼는 기분

중심(中心)

| 가운데 중 | 마음 심 |

뜻 사물의 한가운데. 또는 확고한 주관이나 줏대

내심(內心)

| 안 내 | 마음 심 |

뜻 겉으로 드러나지 아니한 실제의 마음

공중(空中)

| 빌 공 | 가운데 중 |

뜻 하늘과 땅 사이의 빈 곳

안심(安心)

| 편안 안 | 마음 심 |

뜻 모든 걱정을 떨쳐 버리고 마음을 편히 가짐.

中 가운데 중 | 心 마음 심

한자 확인

1 다음 한자의 뜻과 음(소리)을 쓰세요.

中 ( )을/를 뜻하고, ( )(이) 라고 읽습니다.

心 ( )을/를 뜻하고, ( )(이) 라고 읽습니다.

어휘 확인

2 다음 한자어의 뜻을 바르게 나타낸 것에 ✔표 하세요.

心氣

☐ 하늘과 땅 사이의 빈 곳

☐ 마음으로 느끼는 기분

어휘 확인

3 다음 문장에 들어갈 말로 어울리는 한자어를 찾아 ◯표 하세요.

새들이 (空中 / 内心)으로 날아갔습니다.

급수 유형

4 다음 밑줄 친 한자어의 음(소리)을 쓰세요.

(1) 환한 보름달이 <u>中天</u>에 걸려 있습니다. → (　　　　　)

(2) 걱정하지 말라며 <u>安心</u>을 시켰습니다. → (　　　　　)

급수 유형

5 보기 와 같이 다음 한자의 뜻과 음(소리)을 쓰세요.

> 보기
>
> 白 → 흰 백

(1) 中 → (　　　　　)

(2) 心 → (　　　　　)

급수 유형

6 다음 뜻에 맞는 한자어를 보기 에서 찾아 그 번호를 쓰세요.

> 보기
>
> ① 空中　　　　② 心氣　　　③ 中心　　　④ 內心

(1) 사물의 한가운데. 또는 확고한 주관이나 줏대 → (　　　　　)

(2) 겉으로 드러나지 아니한 실제의 마음 → (　　　　　)

所 有

바 소　　있을 유

🔍 다음 글을 읽고, 오늘 배울 한자를 확인해 보세요.

경복궁은 서울에 있는[有] 조선 시대 궁궐 중 하나예요.

그중에서도 경복궁은 가장 큰 궁궐로, 많은 관광객이 찾는 명소(所)예요.

경복궁이라는 이름은 '새 왕조가 큰 복을 누려 번영할 것'이라는

의미에서 지어진 것이래요.

경복궁에는 어떤 재미있는 이야기가 전해 내려올까요?

오늘 배울 한자

所 有

바 소　　있을 유

바 소

본래는 나무를 찍는 도끼 소리를 나타내는 글자였으나 후에 뜻이 변하여 **곳**, **바**를 뜻하게 되었어요.

QR을 보며 따라 써요!

所	所	所	所	所	所	所
	바 소	바 소	바 소	바 소	바 소	바 소

있을 유

손에 고기를 가지고 있는 모습을 본뜬 글자로, 있다, 가지다를 뜻해요.

QR을 보며 따라 써요!

4주

有	有	有	有	有	有	有
	있을 유	있을 유	있을 유	있을 유	있을 유	있을 유

所 바 소 | 有 있을 유

한자어를 익혀요

우주야, 숙제하는구나?

네. 지역의 명소(名所)에 대해 조사하는 숙제예요.

그래? 우리 지역의 유명(有名)한 장소(場所)로 무엇이 있을까?

자연환경도 있고 관광지나 유적지도 있어요.

그래. 명소에 대해서 어떤 내용을 조사할 예정이니?

주소(住所)와 특징, 전해 내려오는 이야기 등을 조사할 생각이에요.

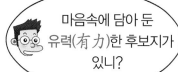

마음속에 담아 둔 유력(有力)한 후보지가 있니?

경복궁을 조사해 보고 싶어요.

경복궁을 보면 소유(所有)하고 싶다는 생각이 들 만큼 아름다워요.

맞아. 경복궁도 우리 지역의 자랑거리라고 할 수 있지.

그럼 아빠랑 함께 경복궁을 답사해 볼까?

좋아요!

🔍 '所(바 소)'와 '有(있을 유)'가 들어간 한자어를 알아봅시다.

 바 소

 있을 유

명소(名所)

名	
이름 명	바 소

뜻 경치나 유적, 특산물 등으로 널리 알려진 곳

유명(有名)

	名
있을 유	이름 명

뜻 이름이 널리 알려져 있음.

장소(場所)

場	
마당 장	바 소

뜻 어떤 일이 이루어지거나 일어나는 곳

유력(有力)

	力
있을 유	힘 력

뜻 가능성이 큼.

주소(住所)

住	
살 주	바 소

뜻 집이나 직장, 기관 등이 위치한 곳의
행정 구역상 이름

소유(所有)

所	
바 소	있을 유

뜻 가지고 있음.

4일
기타 한자

所 바소 │ 有 있을 유

기초 실력을 키워요

한자 확인

1 다음 한자의 뜻과 음(소리)으로 알맞은 것을 찾아 ◯표 하세요.

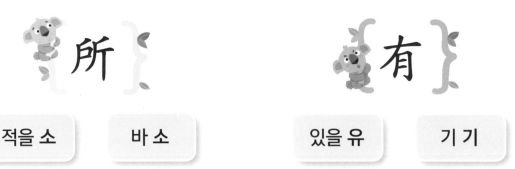

所		有	
적을 소	바 소	있을 유	기 기

어휘 확인

2 다음 뜻에 해당하는 한자어를 찾아 선으로 이으세요.

이름이 널리 알려져 있음. •

어떤 일이 이루어지거나
일어나는 곳 •

• 場所

• 有名

어휘 확인

3 그림의 속 내용이 맞으면 '예', 틀리면 '아니요'에 ◯표 하세요.

'有力'은
'유력'이라고
읽습니다.

예

아니요

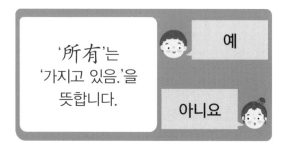

'所有'는
'가지고 있음.'을
뜻합니다.

예

아니요

급수 유형

4 다음 뜻과 음(소리)에 맞는 한자를 보기 에서 찾아 그 번호를 쓰세요.

> 보기
>
> ① 有   ② 所   ③ 心   ④ 中

(1) 바 소 → (   )

(2) 있을 유 → (   )

급수 유형

5 다음 밑줄 친 낱말에 해당하는 한자어를 보기 에서 찾아 그 번호를 쓰세요.

> 보기
>
> ① 有名   ② 所有   ③ 場所   ④ 住所

(1) 내비게이션에 <u>주소</u>를 입력했습니다. → (   )

(2) 이 정원은 개인이 <u>소유</u>하고 있습니다. → (   )

급수 유형

6 다음 뜻에 맞는 한자어를 보기 에서 찾아 그 번호를 쓰세요.

> 보기
>
> ① 所有   ② 有力   ③ 名所   ④ 有名

(1) 가능성이 큼. → (   )

(2) 경치나 유적, 특산물 등으로 널리 알려진 곳 → (   )

直 立

곧을 직   설 립

🔍 다음 글을 읽고, 오늘 배울 한자를 확인해 보세요.

얼마 전 언니가 새로 산 볼펜을 빌려 썼어요.

볼펜을 책상에 두고 잠깐 자리를 비운 사이,

아뿔싸! 우리 집 고양이가 볼펜을 바닥으로 떨어뜨린 것이 아니겠어요?

바닥에 수직(直)으로 떨어진 볼펜은 망가지고 말았어요.

내 입(立)장은 난처해지고 말았어요. 어떻게 하면 좋을까요?

오늘 배울 한자

直 立

곧을 직   설 립

곧을 직

열 사람(많은 사람)의 눈이 똑바로 쳐다본다는 데서 **곧**다라는 뜻이 생겼어요.

QR을 보며 따라 써요!

直	直	直	直	直	直
곧을 직	곧을 직	곧을 직	곧을 직	곧을 직	곧을 직

설 립

사람이 땅 위에 서 있는 모습을 나타낸 글자로, 서다라는 뜻이에요.

QR을 보며 따라 써요!

4주

立	立	立	立	立	立
설 립	설 립	설 립	설 립	설 립	설 립

直 곧을 직 | 立 설 립

한자어를 익혀요

아휴. 속상해.

무슨 일 있니?

언니랑 싸웠는데 엄마가 내 **입장**(立場)은 들어 보지도 않고 나만 혼내시잖아.

싸운 **직후**(直後)에 차분히 말씀을 드려 보지 그랬어.

엄마가 **중립**(中立)을 지켜 줄 줄 알았는데 언니 편만 드시는 거야. 내 **입지**(立地)는 점점 좁아졌는걸.

무슨 일이었는데?

언니가 아끼는 볼펜을 빌려 썼거든. 그런데 볼펜이 망가진 거야.

저런. 솔직하게 이야기해 봤니? **정직**(正直)은 가장 큰 무기야.

당황해서 말을 잘하지 못했어. 사실은 저 녀석이 망가뜨린 거였는데.

하하. 당당하게 **직립**(直立) 자세로 어깨 펴렴. 잘 말씀을 드리면 네 상황을 이해해 주실 거야.

응, 고마워.

'直(곧을 직)'과 '立(설 립)'이 들어간 한자어를 알아봅시다.

 곧을 직

 설 립

직후(直後)

곧을 직	뒤 후

뜻 어떤 일이 있고 난 바로 다음

입장(立場)

'立'은 낱말의 맨 앞에 올 때 '입'이라고 읽어요.

설 립	마당 장

뜻 당면하고 있는 상황

정직(正直)

바를 정	곧을 직

뜻 거짓이나 꾸밈이 없이 바르고 곧음.

중립(中立)

가운데 중	설 립

뜻 어느 편에도 치우치지 않고 중간적인 입장에 섬.

직립(直立)

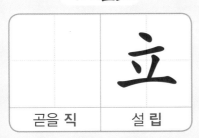

곧을 직	설 립

뜻 꼿꼿하게 바로 섬.

입지(立地)

설 립	땅 지

뜻 개인이나 단체 등이 한 분야에서 차지하고 있는 기반이나 지위

5일 기타 한자

直 곧을 직 | 立 설 립

기초 실력을 키워요

한자 확인

1 다음 한자의 뜻과 음(소리)으로 알맞은 것을 찾아 선으로 이으세요.

立 ·

直 ·

· 서다 ·

· 곧다 ·

· 직

· 립

어휘 확인

2 다음 뜻에 해당하는 한자어를 찾아 선으로 이으세요.

꼿꼿하게 바로 섬. ·

· 直立

· 正直

어휘 확인

3 낱말판에서 설명에 해당하는 낱말을 찾아 ○표 하세요.

입	장	중
지	직	립
립	후	정

설명
어떤 일이 있고 난 바로 다음

급수 유형

4 다음 밑줄 친 한자어의 음(소리)을 쓰세요.

(1) 둘 사이의 <u>立場</u> 차이를 좁히려고 노력했습니다. → (　　　　　)

(2) 그는 문학계에서 <u>立地</u>가 최고입니다. → (　　　　　)

급수 유형

5 보기 와 같이 다음 한자의 뜻과 음(소리)을 쓰세요.

보기
有 → 있을 유

(1) 直 → (　　　　　)

(2) 立 → (　　　　　)

급수 유형

6 다음 뜻에 맞는 한자어를 보기 에서 찾아 그 번호를 쓰세요.

보기
① 正直　　　② 直立　　　③ 中立　　　④ 直後

(1) 마음에 거짓이나 꾸밈이 없이 바르고 곧음. → (　　　　　)

(2) 어느 편에도 치우치지 않고 중간적인 입장에 섬. → (　　　　　)

1 다음 한자 카드의 ☐ 안에 알맞은 한자를 쓰세요.

(1)

날 출

(2)
들 입

2 다음 밑줄 친 한자어의 음(소리)을 쓰세요.

<u>日出</u>을 보러 동해안으로 여행을 떠났습니다.

→ (　　　　　)

3 다음 그림이 나타내는 한자를 선으로 이으세요.

· 白

· 旗

4 다음 한자의 뜻을 보기 에서 찾아 그 번호를 쓰세요.

> **보기**
> ① 가운데　② 기　③ 희다

(1) 白 → (　　　　　)

(2) 中 → (　　　　　)

5 다음 밑줄 친 한자의 음(소리)을 쓰세요.

그는 사건 (1)<u>直</u>후에 자신의
(2)<u>立</u>장을 밝혔습니다.

(1) (　　　　　)

(2) (　　　　　)

6 다음 밑줄 친 낱말에 해당하는 한자어를 에서 찾아 그 번호를 쓰세요.

① 內心 ② 心氣 ③ 安心

● 걱정하는 친구를 <u>안심</u>시켜 주었습니다. → (   )

7 다음 뜻에 알맞은 한자어를 에서 찾아 그 번호를 쓰세요.

보기
① 有名 ② 有力 ③ 所有

● 이름이 널리 알려져 있음.
→ (   )

8 다음 뜻에 해당하는 한자어를 찾아 선으로 이으세요.

가지고 있음.

・ 所有

・ 住所

9 다음 ☐ 안에 들어갈 한자어를 에서 찾아 그 번호를 쓰세요.

보기
① 外出 ② 中天 ③ 白旗

● 해가 ☐☐에 떴습니다.
→ (   )

10 다음 십자말풀이를 보고 ☐ 안에 들어갈 알맞은 한자를 에서 찾아 그 번호를 쓰세요. → (   )

보기
① 中   ② 直   ③ 有

정 ☐

☐

립

→ 정☐: 거짓이나 꾸밈이 없이 바르고 곧음.

↓ ☐립: 꼿꼿하게 바로 섬.

📖 국어+한문 다음 만화를 읽고, 성어의 뜻을 생각해 보세요.

全 心 全 力

온전 **전**　마음 **심**　온전 **전**　힘 **력**

노을아, 새해 계획은 세웠니?

올 한 해는 뭐든지 전심전력하기로 했어.

나도 공부든 운동이든 열심히 최선을 다해 보는 게 올해 목표야.

알찬 계획을 세웠구나?

노을아, 우리 멍뭉이랑 같이 놀지 않을래?

안 돼. 오늘은 숙제에 전심전력을 다해야 하거든.

아, 맞다. 숙제가 있었지?

응. 내일까지 해야 하는 숙제라 오늘 꼭 해야 해.

◆ 성어의 뜻을 살펴보며 빈칸에 알맞은 한자를 채우세요.

→ '온 마음과 온 힘'이라는 뜻으로, 온 마음과 온 힘을 기울여 최선을 다함을 이르는 말

창의·융합·코딩
생각을 키워요 2

📖 코딩+한문 버튼을 누르면 춤을 추는 로봇이 있습니다. 다음 조건에 따라 로봇을 동작 시킨 결과를 보고, 각 동작에 해당하는 버튼 색을 칠해 보세요.

조건

시작

① '中'은 '나오다'를 뜻한다.
예: 초록색 버튼을 누른다.
아니요: 파란색 버튼을 누른다.

② '白'은 '백'이라고 읽는다.
예: 빨간색 버튼을 누른다.
아니요: 노란색 버튼을 누른다.

③ '心'은 '마음'을 뜻한다.
예: 초록색 버튼을 누른다.
아니요: 노란색 버튼을 누른다.

④ '所'는 '유'라고 읽는다.
예: 파란색 버튼을 누른다.
아니요: 빨간색 버튼을 누른다.

끝

결과

버튼별 동작

📖 과학+한문 다음은 척추와 무게 중심에 관한 글입니다. 글을 읽고, 물음에 답해 보세요.

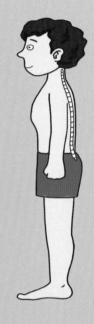

척추는 우리 몸의 ㉠중심이 되는 뼈라고 할 수 있습니다. 허리나 목이 아픈 질환은 무게 중심의 원리를 이해하고 자세를 바로잡으면 예방할 수 있습니다.

무게 중심이란 어떤 물체에 작용하는 힘을 골고루 분산하는 지점이라고 할 수 있습니다. 사람은 ㉡직립 보행을 하므로 네 발로 걷는 동물보다 무게 중심에 민감합니다. 사람은 무게 중심이 높아 조금만 기울어져도 넘어지기 쉽고, 두 발로만 지탱해야 하기 때문에 척추 질환에 걸릴 위험도 큽니다.

그렇다면 척추 건강은 어떻게 지킬 수 있을까요? 방법은 바로 무게 중심에 있습니다. 서 있을 때는 자세가 기울지 않도록 해야 합니다. 걸을 때는 머리가 기울어지지 않도록 시선을 10~15m 앞에 두고 걸으면 바른 자세를 유지할 수 있습니다.

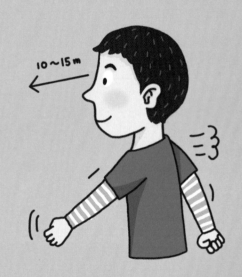

독서대

의자에 앉을 때는 엉덩이를 등받이에 붙이고 상체를 세워 앉습니다. 또, 오랜 시간 책을 읽을 때는 독서대를 이용해 고개를 숙이지 않도록 하는 것이 좋습니다.

1　㉠의 음(소리)에 해당하는 한자어를 쓰세요.

답 　☐　☐

2　㉡의 음(소리)에 해당하는 한자어를 **보기**에서 찾아 그 번호를 쓰세요.

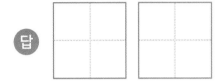

보기

① 所有　　② 出入　　③ 直立　　④ 白旗

● ㉡ 직립 → (　　　　　　)

3　척추 건강을 지키는 방법으로 알맞은 것은 어느 것입니까?　(　　　　)

① 자세가 기울도록 섭니다.
② 고개를 숙이고 걷습니다.
③ 엉덩이를 등받이에서 떨어뜨려 앉습니다.
④ 오랜 시간 책을 읽을 때 독서대를 사용합니다.

7급 급수 시험 맛보기 1회

[문제 1~5] 다음 밑줄 친 漢字語한자어의 音(음: 소리)을 쓰세요.

> **보기**
>
> 漢字 → 한자

1 작년에 이어 올해도 <u>農事</u>가 풍년입니다.
( )

2 이곳은 <u>出入</u>이 불가능합니다.
( )

3 우리 <u>食口</u>는 총 네 명입니다.
( )

4 온 <u>世上</u>이 눈으로 덮였습니다.
( )

5 오랜만에 <u>三寸</u>이 우리 집에 놀러 오셨습니다. ( )

[문제 6~9] 다음 漢字한자의 訓(훈: 뜻)과 音(음: 소리)을 쓰세요.

> **보기**
>
> 字 → 글자 자

6 國 ( )

7 白 ( )

8 旗 ( )

9 手 ( )

[문제 10~11] 다음 밑줄 친 漢字語한자어를 **보기**에서 골라 그 번호를 쓰세요.

> **보기**
>
> ① 工夫　② 邑內
> ③ 有力　④ 立地

10 나는 열심히 <u>공부</u>하여 시험에 합격하였습니다. ( )

11 그는 <u>유력</u>한 회장 후보입니다.
( )

[문제 12~14] 다음 訓(훈: 뜻)과 音(음: 소리)에 맞는 漢字한자를 <보기>에서 골라 그 번호를 쓰세요.

> 보기
>
> ① 先 ② 里 ③ 間 ④ 心

12 먼저 선 (   )

13 사이 간 (   )

14 마을 리 (   )

[문제 15~16] 다음 漢字한자의 상대 또는 반대되는 漢字한자를 <보기>에서 찾아 그 번호를 쓰세요.

> 보기
>
> ① 人 ② 老 ③ 家 ④ 父

15 (   ) ↔ 少

16 (   ) ↔ 母

[문제 17~18] 다음 뜻에 맞는 漢字語한자어를 <보기>에서 골라 그 번호를 쓰세요.

> 보기
>
> ① 男女   ② 山村
> ③ 洞門   ④ 面色

17 얼굴에 나타나는 표정이나 빛깔

(   )

18 동네 입구에 세운 문 (   )

[문제 19~20] 다음 漢字한자의 진하게 표시된 획은 몇 번째 쓰는지 <보기>에서 찾아 그 번호를 쓰세요.

> 보기
>
> ① 첫 번째   ② 두 번째
> ③ 세 번째   ④ 네 번째

19  (   )

20  (   )

[문제 1~5] 다음 밑줄 친 漢字語한자어의 音(음: 소리)을 쓰세요.

> 보기
>
> 漢字 → 한자

1 화살이 과녁의 **中心**을 맞추었습니다.

( )

2 밭에서 **農夫**들이 열심히 일을 하고 있습니다. ( )

3 우리나라에는 **先祖**들의 위대한 발명품이 많습니다. ( )

4 오늘은 **住民** 회의가 있는 날입니다.

( )

5 주말에 **父母**님과 함께 등산을 하였습니다. ( )

[문제 6~9] 다음 漢字한자의 訓(훈: 뜻)과 音(음: 소리)을 쓰세요.

> 보기
>
> 字 → 글자 자

6 里 ( )

7 立 ( )

8 家 ( )

9 歌 ( )

[문제 10~11] 다음 밑줄 친 漢字語한자어를 보기에서 골라 그 번호를 쓰세요.

> 보기
>
> ① 白旗 　② 天上
> ③ 人間 　④ 有名

10 **백기**를 흔들며 백군을 응원했습니다.

( )

11 그녀는 **유명**한 가수입니다.

( )

[문제 12~14] 다음 訓(훈: 뜻)과 音(음: 소리)에 맞는 漢字한자를 보기 에서 골라 그 번호를 쓰세요.

보기
① 邑   ② 色   ③ 村   ④ 口

12 빛 색 (   )

13 고을 읍 (   )

14 입 구 (   )

[문제 15~16] 다음 漢字한자의 상대 또는 반대되는 漢字한자를 보기 에서 찾아 그 번호를 쓰세요.

보기
① 女   ② 少   ③ 手   ④ 入

15 (   ) ↔ 男

16 (   ) ↔ 出

[문제 17~18] 다음 뜻에 맞는 漢字語한자어를 보기 에서 골라 그 번호를 쓰세요.

보기
① 國土   ② 正直
③ 老後   ④ 名所

17 거짓이나 꾸밈이 없이 바르고 곧음.

(   )

18 늙어진 뒤 (   )

[문제 19~20] 다음 漢字한자의 진하게 표시된 획은 몇 번째 쓰는지 보기 에서 찾아 그 번호를 쓰세요.

보기
① 세 번째   ② 네 번째
③ 다섯 번째   ④ 여섯 번째

19  (   )

20  (   )

사람 한자

낯 면

사람 한자

빛 색

사람 한자

밥/먹을 식

사람 한자

입 구

한자와 뜻·음(소리)을 쓰세요.

색

뜻
음

한자와 뜻·음(소리)을 쓰세요.

面

뜻
음

한자와 뜻·음(소리)을 쓰세요.

口

뜻
음

한자와 뜻·음(소리)을 쓰세요.

食

뜻
음

사람 한자

먼저 선

사람 한자

할아버지 조

사람 한자

아버지 부

사람 한자

어머니 모

🐼 한자와 뜻·음(소리)을 쓰세요.

祖

뜻 _____
음 _____

🐼 한자와 뜻·음(소리)을 쓰세요.

先

뜻 _____
음 _____

🐼 한자와 뜻·음(소리)을 쓰세요.

母

뜻 _____
음 _____

🐼 한자와 뜻·음(소리)을 쓰세요.

父

뜻 _____
음 _____

사람 한자

三

석 삼

사람 한자

寸

마디 촌

사람 한자

農

농사 농

사람 한자

夫

지아비 부

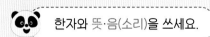 한자와 뜻·음(소리)을 쓰세요.

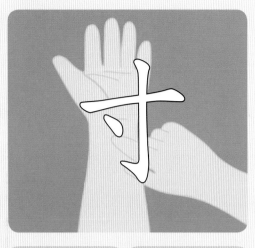

뜻 _____

음 _____

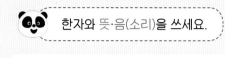 한자와 뜻·음(소리)을 쓰세요.

뜻 _____

음 _____

 한자와 뜻·음(소리)을 쓰세요.

뜻 _____

음 _____

 한자와 뜻·음(소리)을 쓰세요.

뜻 _____

음 _____

사람 한자

노래 가

사람 한자

손 수

사람 한자

사내 남

사람 한자

여자 녀

 한자와 뜻·음(소리)을 쓰세요.

手

뜻 ____
음 ____

 한자와 뜻·음(소리)을 쓰세요.

歌

뜻 ____
음 ____

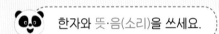 한자와 뜻·음(소리)을 쓰세요.

女

뜻 ____
음 ____

 한자와 뜻·음(소리)을 쓰세요.

男

뜻 ____
음 ____

사람 한자

늙을 로

사람 한자

적을 소

사람 한자

사람 인

사람 한자

사이 간

한자와 뜻·음(소리)을 쓰세요.

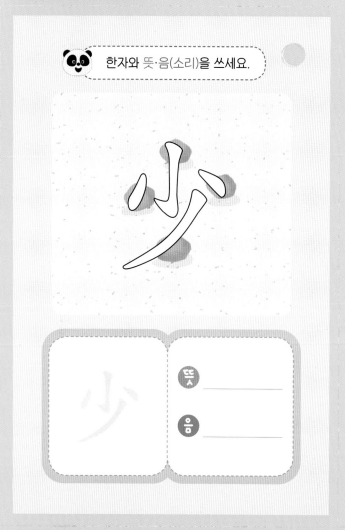

| 少 | 뜻 _____ |
| | 음 _____ |

한자와 뜻·음(소리)을 쓰세요.

| 老 | 뜻 _____ |
| | 음 _____ |

한자와 뜻·음(소리)을 쓰세요.

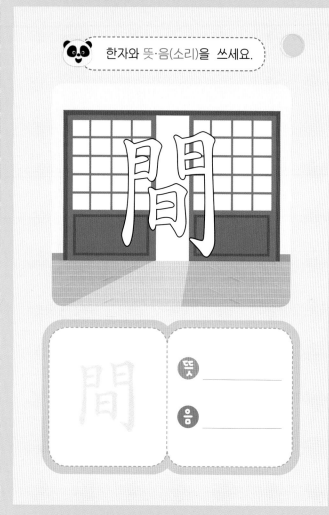

| 間 | 뜻 _____ |
| | 음 _____ |

한자와 뜻·음(소리)을 쓰세요.

| 人 | 뜻 _____ |
| | 음 _____ |

사는 곳 한자

洞
골 동/밝을 통

사는 곳 한자

邑
고을 읍

사는 곳 한자

村
마을 촌

사는 곳 한자

里
마을 리

한자와 뜻·음(소리)을 쓰세요.

| 邑 | 뜻 _____ |
| | 음 _____ |

한자와 뜻·음(소리)을 쓰세요.

| 洞 | 뜻 _____ |
| | 음 _____ |

한자와 뜻·음(소리)을 쓰세요.

| 里 | 뜻 _____ |
| | 음 _____ |

한자와 뜻·음(소리)을 쓰세요.

| 村 | 뜻 _____ |
| | 음 _____ |

사는 곳 한자

住
살 주

사는 곳 한자

民
백성 민

사는 곳 한자

國
나라 국

사는 곳 한자

家
집 가

한자와 뜻·음(소리)을 쓰세요.

民

뜻 _____
음 _____

한자와 뜻·음(소리)을 쓰세요.

住

뜻 _____
음 _____

한자와 뜻·음(소리)을 쓰세요.

家

뜻 _____
음 _____

한자와 뜻·음(소리)을 쓰세요.

國

뜻 _____
음 _____

사는 곳 한자

인간 **세**

사는 곳 한자

윗 **상**

기타 한자

날 **출**

기타 한자

들 **입**

한자와 뜻·음(소리)을 쓰세요.

上

뜻 _____

음 _____

한자와 뜻·음(소리)을 쓰세요.

世

뜻 _____

음 _____

한자와 뜻·음(소리)을 쓰세요.

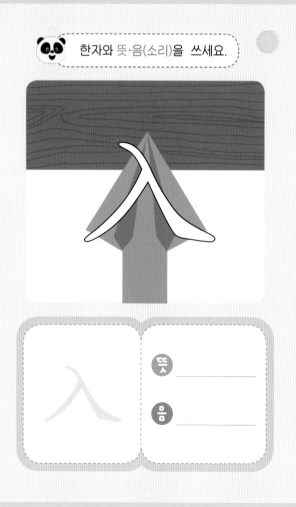

入

뜻 _____

음 _____

한자와 뜻·음(소리)을 쓰세요.

出

뜻 _____

음 _____

기타 한자

흰 백

기타 한자

기 기

기타 한자

가운데 중

기타 한자

마음 심

🐼 한자와 뜻·음(소리)을 쓰세요.

| 旗 | 뜻 _____ |
| | 음 _____ |

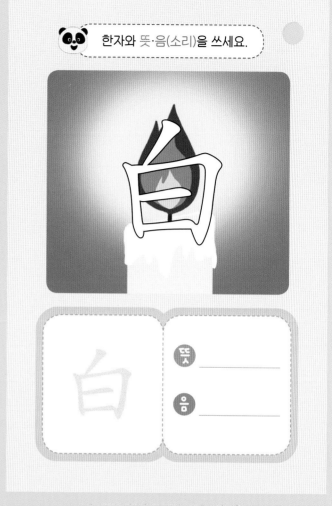

🐼 한자와 뜻·음(소리)을 쓰세요.

| 白 | 뜻 _____ |
| | 음 _____ |

🐼 한자와 뜻·음(소리)을 쓰세요.

| 心 | 뜻 _____ |
| | 음 _____ |

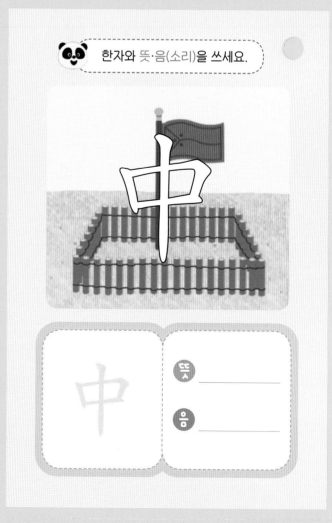

🐼 한자와 뜻·음(소리)을 쓰세요.

| 中 | 뜻 _____ |
| | 음 _____ |

기타 한자

所

바 소

기타 한자

有

있을 유

기타 한자

直

곧을 직

기타 한자

立

설 립

한자와 뜻·음(소리)을 쓰세요.

有
뜻 _____
음 _____

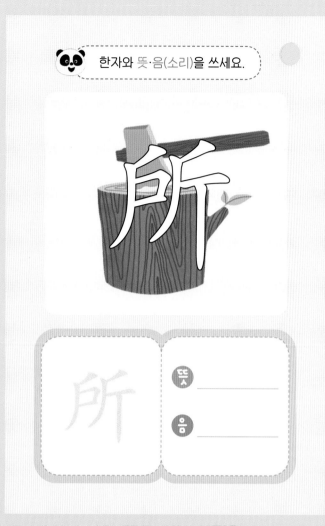

한자와 뜻·음(소리)을 쓰세요.

所
뜻 _____
음 _____

한자와 뜻·음(소리)을 쓰세요.

立
뜻 _____
음 _____

한자와 뜻·음(소리)을 쓰세요.

直
뜻 _____
음 _____

水　漁　之　交

물　물고기　갈　사귈

수　어　지　교

물고기에게 물은 정말 소중한 존재이지요.
수어지교란 물고기와 물의 관계처럼,
아주 친밀하여 떨어질 수 없는 사이
또는 깊은 우정을 일컫는 말이랍니다.

해당 콘텐츠는 천재교육 '똑똑한 하루 독해'를 참고하여 제작되었습니다.
모든 공부의 기초가 되는 어휘력+독해력을 키우고 싶을 땐,
똑똑한 하루 독해&어휘를 풀어보세요!

똑똑한 하루 시리즈

✂ **쉽다!**

10분이면 하루치 공부를 마칠 수 있는 커리큘럼으로,
아이들이 초등 학습에 쉽고 재미있게 접근할 수 있도록
구성하였습니다.

🧩 **재미있다!**

교과서는 물론 생활 속에서 쉽게 접할 수 있는
다양한 소재와 재미있는 게임 형식의 문제로
흥미로운 학습이 가능합니다.

📖 **똑똑하다!**

초등학생에게 꼭 필요한 학습 지식 습득은 물론
창의력 확장까지 가능한 교재로 올바른 공부습관을
가지는 데 도움을 줍니다.

과목	교재 구성	과목	교재 구성
하루 독해	예비초~6학년 각 A·B (14권)	하루 VOCA	3~6학년 각 A·B (8권)
하루 어휘	예비초~6학년 각 A·B (14권)	하루 Grammar	3~6학년 각 A·B (8권)
하루 글쓰기	예비초~6학년 각 A·B (14권)	하루 Reading	3~6학년 각 A·B (8권)
하루 한자	예비초: 예비초 A·B (2권) 1~6학년: 1A~4C (12권)	하루 Phonics	Starter A·B / 1A~3B (8권)
하루 수학	1~6학년 1·2학기 (12권)	하루 봄·여름·가을·겨울	1~2학년 각 2권 (8권)
하루 계산	예비초~6학년 각 A·B (14권)	하루 사회	3~6학년 1·2학기 (8권)
하루 도형	예비초~6학년 각 A·B (14권)	하루 과학	3~6학년 1·2학기 (8권)
하루 사고력	1~6학년 각 A·B (12권)	하루 안전	1~2학년 (2권)

※ 각 교재별 출간 시기는 조금씩 다르며, 일부 교재는 순차적으로 출시될 예정입니다.

똑똑한

하루
한자

정답 ✦

3 ^{단계}B
7급 기초2

천재교육

배운 내용은
꼭꼭 복습하기!

똑 똑 한

하루
한자

정답

3 단계
B
7급 기초2

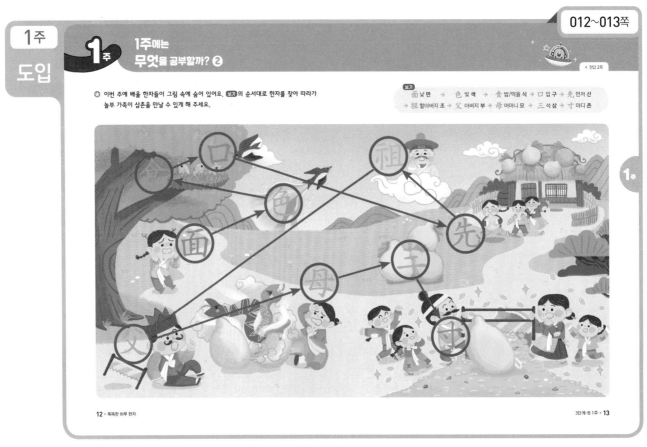

012~013쪽

1주 도입

1주에는 무엇을 공부할까? ②

☆ 이번 주에 배울 한자들이 그림 속에 숨어 있어요. 보기의 순서대로 한자를 찾아 따라가 놀부 가족이 삼촌을 만날 수 있게 해 주세요.

보기
面 낯 면 → 色 빛 색 → 食 밥/먹을 식 → 口 입 구 → 先 먼저 선 → 祖 할아버지 조 → 父 아버지 부 → 母 어머니 모 → 三 석 삼 → 寸 마디 촌

12 • 똑똑한 하루 한자   3단계-B 1주 • 13

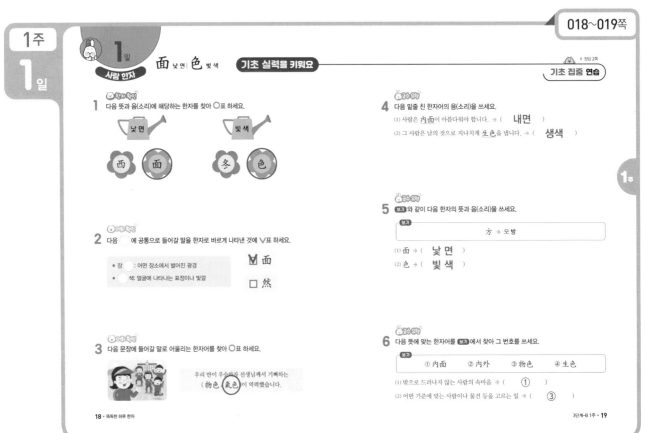

018~019쪽

1주 1일

1일 사람 한자

面 낯 면 色 빛 색   **기초 실력을 키워요**   **기초 집중 연습**

한자 확인

1 다음 뜻과 음(소리)에 해당하는 한자를 찾아 ○표 하세요.

낯 면   빛 색

西 (面)   冬 (色)

어휘 확인

2 다음 ◯에 공통으로 들어갈 말을 한자로 바르게 나타낸 것에 ✔표 하세요.

• 장◯ : 어떤 장소에서 벌어진 광경
• ◯색: 얼굴에 나타나는 표정이나 빛깔

☑ 面
☐ 然

어휘 확인

3 다음 문장에 들어갈 말로 어울리는 한자어를 찾아 ○표 하세요.

우리 반이 우승하자 선생님께서 기뻐하는 (物色, (氣色))이 역력했습니다.

어휘 적용

4 다음 밑줄 친 한자어의 음(소리)을 쓰세요.

(1) 사람은 內面이 아름다워야 합니다. → (내면)
(2) 그 사람은 남의 것으로 지나치게 生色을 냅니다. → (생색)

어휘 적용

5 보기와 같이 다음 한자의 뜻과 음(소리)을 쓰세요.

보기
方 → 모 방

(1) 面 → (낯 면)
(2) 色 → (빛 색)

어휘 적용

6 다음 뜻에 맞는 한자어를 보기에서 찾아 그 번호를 쓰세요.

보기
① 內面   ② 內外   ③ 物色   ④ 生色

(1) 밖으로 드러나지 않는 사람의 속마음 → (①)
(2) 어떤 기준에 맞는 사람이나 물건 등을 고르는 일 → (③)

18 • 똑똑한 하루 한자   3단계-B 1주 • 19

1주 2일

2일 사람 한자
食 밥/먹을 식 | 口 입 구 **기초 실력을 키워요**
기초 집중 **연습**
◀ 정답 3쪽

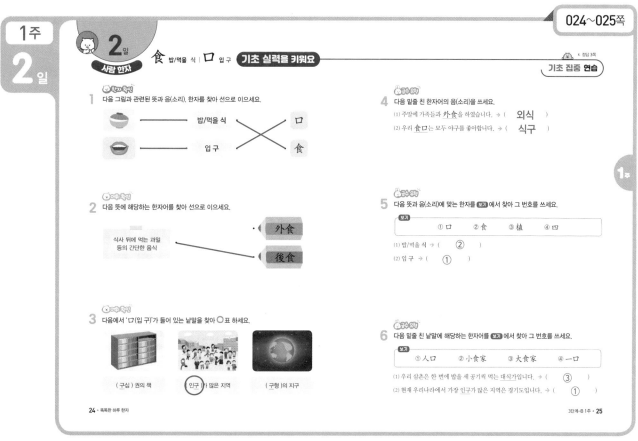

1 다음 그림과 관련된 뜻과 음(소리), 한자를 찾아 선으로 이으세요.

밥/먹을 식 ── 口
입 구 ── 食

2 다음 뜻에 해당하는 한자어를 찾아 선으로 이으세요.

식사 뒤에 먹는 과일 등의 간단한 음식 · 外食 / 後食

3 다음에서 '口(입 구)'가 들어 있는 낱말을 찾아 ○표 하세요.

(구십) 권의 책 / (인구)가 많은 지역 / (구형)의 지구

4 다음 밑줄 친 한자어의 음(소리)을 쓰세요.
(1) 주말에 가족들과 **外食**을 하였습니다. → (외식)
(2) 우리 **食口**는 모두 야구를 좋아합니다. → (식구)

5 다음 뜻과 음(소리)에 맞는 한자를 보기 에서 찾아 그 번호를 쓰세요.
보기
① 口　② 食　③ 植　④ 四
(1) 밥/먹을 식 → (②)
(2) 입 구 → (①)

6 다음 밑줄 친 낱말에 해당하는 한자어를 보기 에서 찾아 그 번호를 쓰세요.
보기
① 人口　② 小食家　③ 大食家　④ 一口
(1) 우리 삼촌은 한 번에 밥을 세 공기씩 먹는 대식가입니다. → (③)
(2) 현재 우리나라에서 가장 인구가 많은 지역은 경기도입니다. → (①)

24 · 똑똑한 하루 한자　　3단계-B 1주 · 25

1주 3일

3일 사람 한자
先 먼저 선 | 祖 할아버지 조 **기초 실력을 키워요**
기초 집중 **연습**
◀ 정답 3쪽

1 다음 설명에 해당하는 한자를 쓰세요.

'먼저'를 뜻하고 '선'이라고 읽습니다. → (先)
'할아버지'를 뜻하고 '조'라고 읽습니다. → (祖)

2 한자어판에서 설명 에 해당하는 한자를 찾아 ○표 하세요.

日	草	先
天	食	山
後	口	友

설명 조상의 무덤. 조상의 무덤이 있는 산

3 다음 뜻에 해당하는 낱말을 찾아 ○표 하세요.

한 집안이나 민족의 옛 어른들 → 조상 / 조국
태어날 때부터 몸에 지니고 있는 것 → 선조 / 선천

4 다음 밑줄 친 한자어의 음(소리)을 쓰세요.
(1) 명절 전에 **先山**에 가서 벌초를 했습니다. → (선산)
(2) 독립운동가들은 **祖國**의 독립을 위해 목숨을 바쳤습니다. → (조국)

5 보기 와 같이 다음 한자의 뜻과 음(소리)을 쓰세요.
보기
口 → 입 구
(1) 先 → (먼저 선)
(2) 祖 → (할아버지 조)

6 다음 뜻에 맞는 한자어를 보기 에서 찾아 그 번호를 쓰세요.
보기
① 左右　② 先祖　③ 先後　④ 祖父
(1) 먼저와 나중 → (③)
(2) 먼 윗대의 조상 → (②)

30 · 똑똑한 하루 한자　　3단계-B 1주 · 31

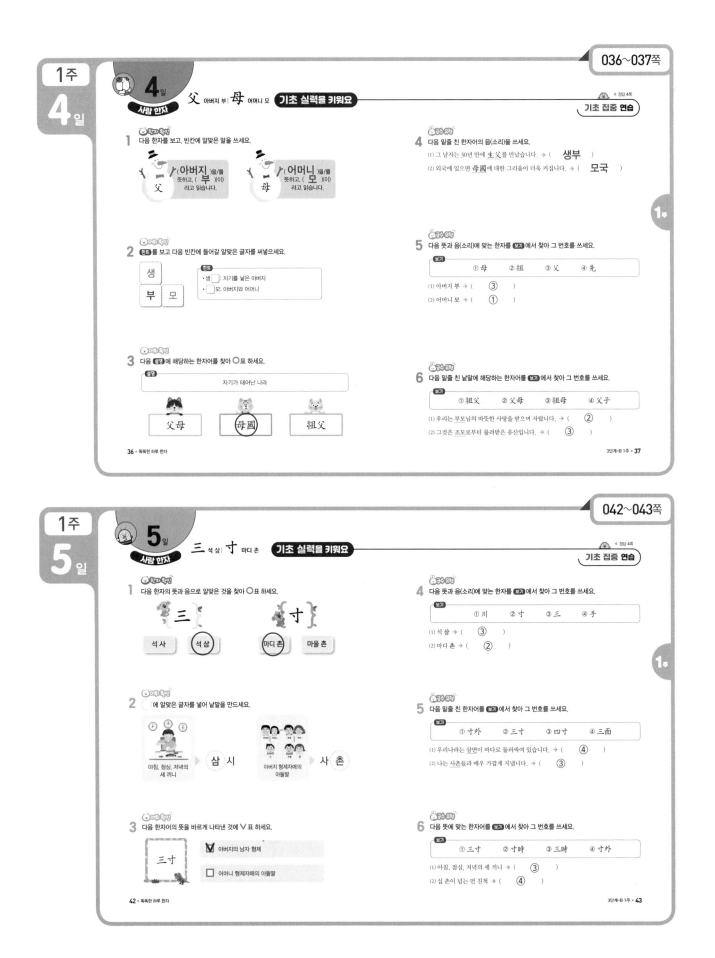

1주 4일

4일 父 아버지 부 | 母 어머니 모 **기초 실력을 키워요**

정답 4쪽

사람 한자 **기초 집중 연습**

1 다음 한자를 보고, 빈칸에 알맞은 말을 쓰세요.

父 (아버지)을/를 뜻하고, (부)(이)라고 읽습니다.

母 (어머니)을/를 뜻하고, (모)(이)라고 읽습니다.

2 힌트를 보고 다음 빈칸에 들어갈 알맞은 글자를 써넣으세요.

생 부
부 모

힌트
• 생 부 : 자기를 낳은 아버지
• 부 모 : 아버지와 어머니

3 다음 설명에 해당하는 한자어를 찾아 ○표 하세요.

설명
자기가 태어난 나라

父母 　(母國) 　祖父

4 다음 밑줄 친 한자어의 음(소리)을 쓰세요.

(1) 그 남자는 30년 만에 生父를 만났습니다. → (생부)

(2) 외국에 있으면 母國에 대한 그리움이 더욱 커집니다. → (모국)

5 다음 뜻과 음(소리)에 맞는 한자를 보기 에서 찾아 그 번호를 쓰세요.

보기
① 母　② 祖　③ 父　④ 先

(1) 아버지 부 → (③)

(2) 어머니 모 → (①)

6 다음 밑줄 친 낱말에 해당하는 한자어를 보기 에서 찾아 그 번호를 쓰세요.

보기
① 祖父　② 父母　③ 祖母　④ 父子

(1) 우리는 부모님의 따뜻한 사랑을 받으며 자랍니다. → (②)

(2) 그것은 조모로부터 물려받은 유산입니다. → (③)

1주 5일

5일 三 석 삼 | 寸 마디 촌 **기초 실력을 키워요**

정답 4쪽

사람 한자 **기초 집중 연습**

1 다음 한자의 뜻과 음으로 알맞은 것을 찾아 ○표 하세요.

三 : 석 사 (석 삼)
寸 : (마디 촌) 마을 촌

2 에 알맞은 글자를 넣어 낱말을 만드세요.

아침, 점심, 저녁의 세 끼니 ▶ 삼 시

아버지 형제자매의 아들딸 ▶ 사 촌

3 다음 한자어의 뜻을 바르게 나타낸 것에 ∨표 하세요.

三寸
☑ 아버지의 남자 형제
☐ 어머니 형제자매의 아들딸

4 다음 뜻과 음(소리)에 맞는 한자를 보기 에서 찾아 그 번호를 쓰세요.

보기
① 川　② 寸　③ 三　④ 手

(1) 석 삼 → (③)

(2) 마디 촌 → (②)

5 다음 밑줄 친 한자어를 보기 에서 찾아 그 번호를 쓰세요.

보기
① 寸外　② 三寸　③ 四寸　④ 三面

(1) 우리나라는 삼면이 바다로 둘러싸여 있습니다. → (④)

(2) 나는 사촌들과 매우 가깝게 지냅니다. → (③)

6 다음 뜻에 맞는 한자어를 보기 에서 찾아 그 번호를 쓰세요.

보기
① 三寸　② 寸時　③ 三時　④ 寸外

(1) 아침, 점심, 저녁의 세 끼니 → (③)

(2) 십 촌이 넘는 먼 친척 → (④)

1주 TEST

1주 누구나 100점 TEST

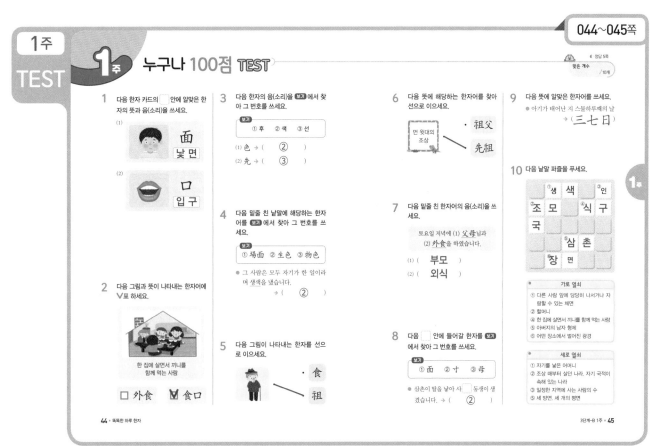

1주 특강

1주 특강 생각을 키워요 ❶

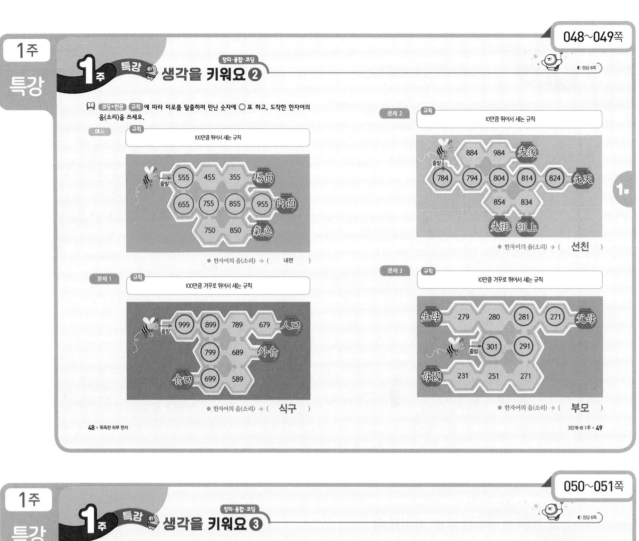

1주 특강

1주 특강 **생각을 키워요 ②** 창의·융합·코딩

코딩+한문 규칙 에 따라 미로를 탈출하며 만난 숫자에 ○표 하고, 도착한 한자어의 음(소리)을 쓰세요.

예시

규칙: 100만큼 뛰어서 세는 규칙

出發 555 455 355 場面 655 755 855 955 內面 750 850 氣色

● 한자어의 음(소리) → (내면)

문제 2

규칙: 10만큼 뛰어서 세는 규칙

出發 884 984 先後 784 794 804 814 824 先天 854 834 先祖 祖上

● 한자어의 음(소리) → (선천)

문제 1

규칙: 100만큼 거꾸로 뛰어서 세는 규칙

出發 999 899 789 679 人口 799 689 外食 食口 699 589

● 한자어의 음(소리) → (식구)

문제 3

규칙: 10만큼 거꾸로 뛰어서 세는 규칙

生母 279 280 281 271 父母 出發 301 291 母國 231 251 271

● 한자어의 음(소리) → (부모)

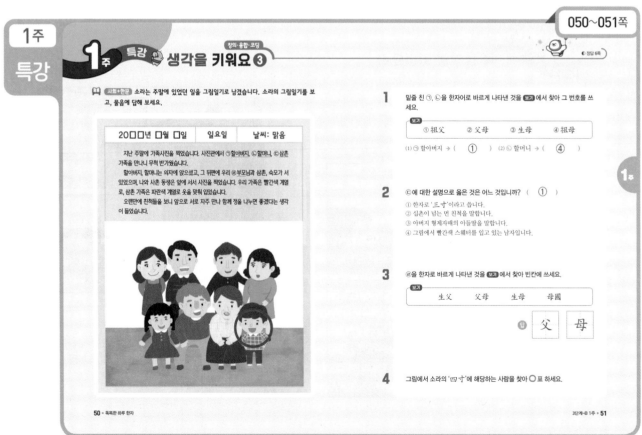

1주 특강

1주 특강 **생각을 키워요 ③** 창의·융합·코딩

사회+한문 소라는 주말에 있었던 일을 그림일기로 남겼습니다. 소라의 그림일기를 보고, 물음에 답해 보세요.

20□□년 □월 □일 | 일요일 | 날씨: 맑음

　　지난 주말에 가족사진을 찍었습니다. 사진관에서 ⑦할아버지, ⓒ할머니, ⓒ삼촌 가족을 만나니 무척 반가웠습니다.
　　할아버지, 할머니는 의자에 앉으셨고, 그 뒤편에 우리 ⓔ부모님과 삼촌, 숙모가 서 있었으며, 나와 사촌 동생은 앞에 서서 사진을 찍었습니다. 우리 가족은 빨간색 계열로, 삼촌 가족은 파란색 계열로 옷을 맞춰 입었습니다.
　　오랜만에 친척들을 보니 앞으로 서로 자주 만나 정을 나누면 좋겠다는 생각이 들었습니다.

1 밑줄 친 ⑦, ⓒ을 한자어로 바르게 나타낸 것을 보기 에서 찾아 그 번호를 쓰세요.

보기: ① 祖父　② 父母　③ 生母　④ 祖母

(1) ⑦ 할아버지 → (①)　(2) ⓒ 할머니 → (④)

2 ⓒ에 대한 설명으로 옳은 것은 어느 것입니까? (①)

① 한자로 '三寸'이라고 씁니다.
② 십촌이 넘는 먼 친척을 말합니다.
③ 아버지 형제자매의 아들딸을 말합니다.
④ 그림에서 빨간색 스웨터를 입고 있는 남자입니다.

3 ⓔ을 한자로 바르게 나타낸 것을 보기 에서 찾아 빈칸에 쓰세요.

보기: 生父　父母　生母　母國

답: 父　母

4 그림에서 소라의 '四寸'에 해당하는 사람을 찾아 ○표 하세요.

2주 도입

2주에는 무엇을 공부할까? ❷

✿ 이번 주에 배울 한자들이 미로 속에 있어요. 보기 를 참고해서 제시된 한자의 뜻과 음(소리)
이 바르게 쓰인 길을 따라가 전설의 가수를 찾아보세요.

보기			
農 농사 농	夫 지아비 부	歌 노래 가	手 손 수	男 사내 남
女 여자 녀	老 늙을 로	少 적을 소	人 사람 인	間 사이 간

◀ 정답 7쪽

54 · 똑똑한 하루 한자

3단계-B 2주 · 55

2주 1일

사람 한자 農 농사 농 | 夫 지아비 부   기초 실력을 키워요

◀ 정답 7쪽

기초 집중 연습

1 다음 한자의 뜻과 음(소리)으로 알맞은 것을 찾아 ○표 하세요.

農   夫

농사 공   (농사 농)   (지아비 부)   며느리 부

2 다음 문장의 뜻에 알맞은 낱말을 찾아 ○표 하세요.

(농촌 / 어촌)에는 농사를 짓는 사람이 모여 삽니다.

여동생의 남편을 (형부 / 제부)라고 합니다.

3 다음 한자어의 뜻을 바르게 나타낸 것에 ✓표 하세요.

農事

✓ 농작물을 심어 기르고 거두어들이는 일

□ 농사짓는 일을 직업으로 하는 사람

4 다음 밑줄 친 한자어의 음(소리)을 쓰세요.

(1) 올해 배추 農事는 풍년입니다. → (농사)

(2) 시험에 대비해서 工夫를 열심히 했습니다. → (공부)

5 다음 뜻과 음(소리)에 맞는 한자를 보기 에서 찾아 그 번호를 쓰세요.

보기			
① 夫	② 夏	③ 農	④ 父

(1) 농사 농 → (③)

(2) 지아비 부 → (①)

6 다음 뜻에 맞는 한자어를 보기 에서 찾아 그 번호를 쓰세요.

보기			
① 農事	② 農夫	③ 農大	④ 工夫

(1) 농과 대학의 준말 → (③)

(2) 농사짓는 일을 직업으로 하는 사람 → (②)

60 · 똑똑한 하루 한자

3단계-B 2주 · 61

3단계-B 정답 · 7

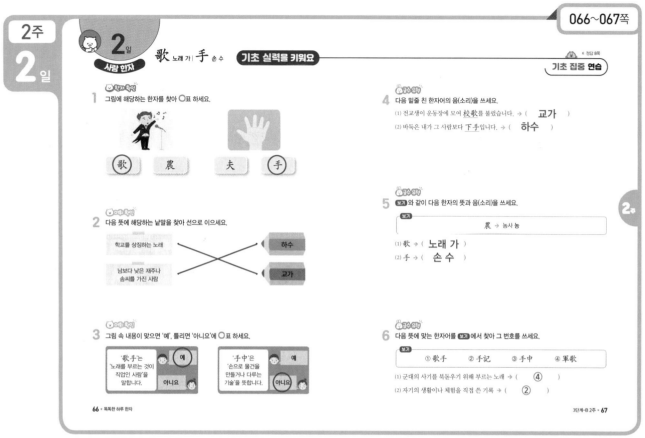

2주
2일

2일
사람 한자 | 歌 노래 가 | 手 손 수 | **기초 실력을 키워요** 정답 8쪽

기초 집중 연습

확인 확인
1 그림에 해당하는 한자를 찾아 ◯표 하세요.

歌　農　夫　手

이해 확인
2 다음 뜻에 해당하는 낱말을 찾아 선으로 이으세요.

학교를 상징하는 노래 ━━━ 하수

남보다 낮은 재주나 솜씨를 가진 사람 ━━━ 교가

이해 확인
3 그림 속 내용이 맞으면 '예', 틀리면 '아니요'에 ◯표 하세요.

'歌手'는 '노래를 부르는 것이 직업인 사람'을 말합니다. → 예

'手中'은 '손으로 물건을 만들거나 다루는 기술'을 뜻합니다. → 아니요

교수 응용
4 다음 밑줄 친 한자어의 음(소리)을 쓰세요.
(1) 전교생이 운동장에 모여 校歌를 불렀습니다. → (교가)
(2) 바둑은 내가 그 사람보다 下手입니다. → (하수)

교수 응용
5 보기와 같이 다음 한자의 뜻과 음(소리)을 쓰세요.

보기
農 → 농사 농

(1) 歌 → (노래 가)
(2) 手 → (손 수)

교수 응용
6 다음 뜻에 맞는 한자어를 보기에서 찾아 그 번호를 쓰세요.

보기
① 歌手　② 手記　③ 手中　④ 軍歌

(1) 군대의 사기를 북돋우기 위해 부르는 노래 → (④)
(2) 자기의 생활이나 체험을 직접 쓴 기록 → (②)

66 • 똑똑한 하루 한자　　3단계-B 2주 • 67

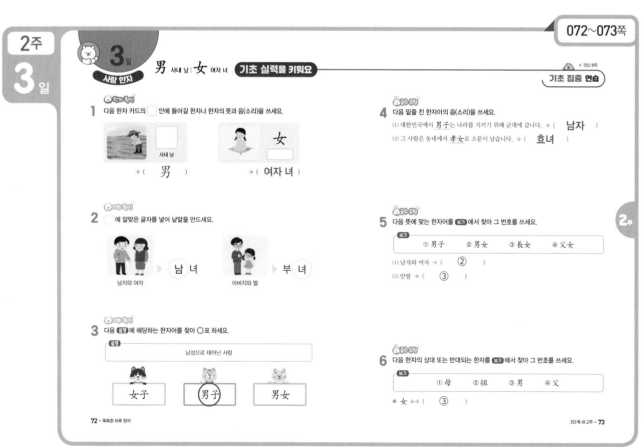

2주
3일

3일
사람 한자 | 男 사내 남 | 女 여자 녀 | **기초 실력을 키워요** 정답 8쪽

기초 집중 연습

확인 확인
1 다음 한자 카드의 ☐ 안에 들어갈 한자나 한자의 뜻과 음(소리)을 쓰세요.

사내 남
→ (男)

女
→ (여자 녀)

이해 확인
2 ☐에 알맞은 글자를 넣어 낱말을 만드세요.

남 녀
남자와 여자

부 녀
아버지와 딸

이해 확인
3 다음 설명에 해당하는 한자어를 찾아 ◯표 하세요.

설명
남성으로 태어난 사람

女子　男子　男女

교수 응용
4 다음 밑줄 친 한자어의 음(소리)을 쓰세요.
(1) 대한민국에서 男子는 나라를 지키기 위해 군대에 갑니다. → (남자)
(2) 그 사람은 동네에서 孝女로 소문이 났습니다. → (효녀)

교수 응용
5 다음 뜻에 맞는 한자어를 보기에서 찾아 그 번호를 쓰세요.

보기
① 男子　② 男女　③ 長女　④ 父女

(1) 남자와 여자 → (②)
(2) 맏딸 → (③)

교수 응용
6 다음 한자의 상대 또는 반대되는 한자를 보기에서 찾아 그 번호를 쓰세요.

보기
① 母　② 祖　③ 男　④ 父

● 女 ↔ (③)

72 • 똑똑한 하루 한자　　3단계-B 2주 • 73

2주
4일

4일 사람 한자 老 늙을 로 | 少 적을 소 **기초 실력을 키워요** ◀ 정답 9쪽

기초 집중 연습

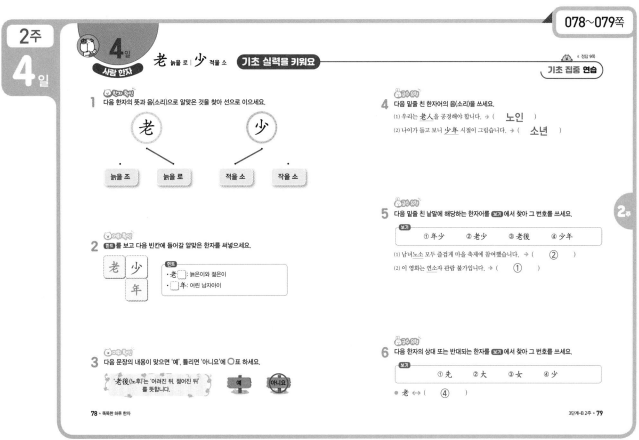

확인과 확인
1 다음 한자의 뜻과 음(소리)으로 알맞은 것을 찾아 선으로 이으세요.

老   少

늙을 조   늙을 로   적을 소   작을 소

어휘 확인
2 힌트를 보고 다음 빈칸에 들어갈 알맞은 한자를 써넣으세요.

老 少
年

힌트
· 老 □ : 늙은이와 젊은이
· □ 年 : 어린 남자아이

어휘 확인
3 다음 문장의 내용이 맞으면 '예', 틀리면 '아니요'에 ○표 하세요.

'老後(노후)'는 '어려진 뒤, 젊어진 뒤'를 뜻합니다.   예   아니요

급수 유형
4 다음 밑줄 친 한자어의 음(소리)을 쓰세요.

(1) 우리는 老人을 공경해야 합니다. → (노인)
(2) 나이가 들고 보니 少年 시절이 그립습니다. → (소년)

급수 유형
5 다음 밑줄 친 낱말에 해당하는 한자어를 보기에서 찾아 그 번호를 쓰세요.

보기   ① 年少   ② 老少   ③ 老後   ④ 少年

(1) 남녀노소 모두 즐겁게 마을 축제에 참여했습니다. → (②)
(2) 이 영화는 연소자 관람 불가입니다. → (①)

급수 유형
6 다음 한자의 상대 또는 반대되는 한자를 보기에서 찾아 그 번호를 쓰세요.

보기   ① 先   ② 大   ③ 女   ④ 少

● 老 ↔ (④)

78 · 똑똑한 하루 한자   3단계-B 2주 · 79

2주
5일

5일 사람 한자 人 사람 인 | 間 사이 간 **기초 실력을 키워요** ◀ 정답 9쪽

기초 집중 연습

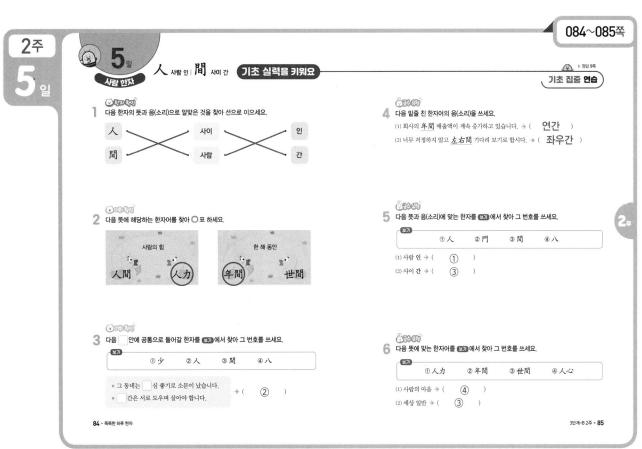

확인과 확인
1 다음 한자의 뜻과 음(소리)으로 알맞은 것을 찾아 선으로 이으세요.

人   사이   인
間   사람   간

어휘 확인
2 다음 뜻에 해당하는 한자어를 찾아 ○표 하세요.

사람의 힘
人間   人力

한 해 동안
年間   世間

어휘 확인
3 다음 □ 안에 공통으로 들어갈 한자를 보기에서 찾아 그 번호를 쓰세요.

보기   ① 少   ② 人   ③ 間   ④ 八

· 그 동네는 □심 좋기로 소문이 났습니다.
· □간은 서로 도우며 살아야 합니다.   → (②)

급수 유형
4 다음 밑줄 친 한자어의 음(소리)을 쓰세요.

(1) 회사의 年間 매출액이 계속 증가하고 있습니다. → (연간)
(2) 너무 걱정하지 말고 左右間 기다려 보기로 합시다. → (좌우간)

급수 유형
5 다음 뜻과 음(소리)에 맞는 한자를 보기에서 찾아 그 번호를 쓰세요.

보기   ① 人   ② 門   ③ 間   ④ 八

(1) 사람 인 → (①)
(2) 사이 간 → (③)

급수 유형
6 다음 뜻에 맞는 한자어를 보기에서 찾아 그 번호를 쓰세요.

보기   ① 人力   ② 年間   ③ 世間   ④ 人心

(1) 사람의 마음 → (④)
(2) 세상 일반 → (③)

84 · 똑똑한 하루 한자   3단계-B 2주 · 85

2주 TEST

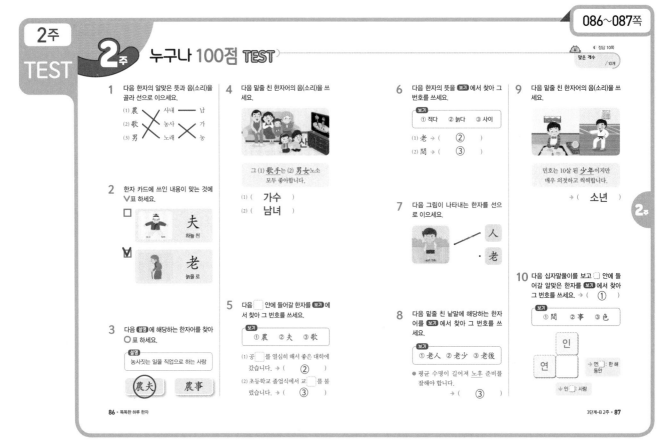

2주 특강

2주
특강

2주 **특강** 생각을 키워요 ❷ 창의·융합·코딩

📖 코딩+한문 친구를 만나기로 했습니다. 친구의 특징 을 보고, 순서도를 따라 문제를 해결하여 오른쪽 그림에서 친구를 찾아 ○표 하세요.

친구의 특징
· 친구는 초등학교 4학년입니다.
· 친구는 남자입니다.
· 친구는 가수가 되는 것이 꿈이어서 가수처럼 멋을 내고 다닙니다.

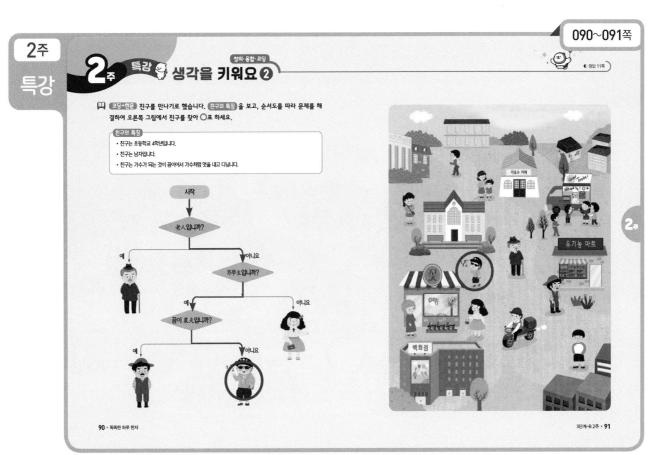

시작
→ 老人입니까?
예 ↓   아니요 →
男學生입니까?
예 ↓   아니요 →
꿈이 歌手입니까?
예 ↓   아니요 →

90 · 똑똑한 하루 한자

3단계-B 2주 · 91

2주
특강

2주 **특강** 생각을 키워요 ❸ 창의·융합·코딩

📖 수학+한문 우주는 공원에 놀러 갔습니다. 공원에는 그림과 같이 많은 사람이 있었습니다. 그림을 보고, 물음에 답해 보세요.

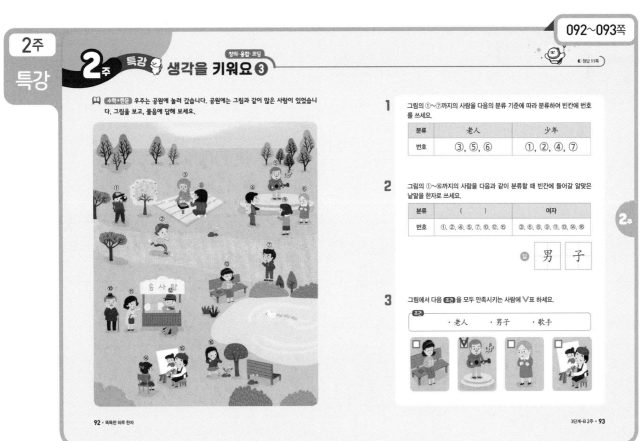

1 그림의 ①~⑦까지의 사람을 다음의 분류 기준에 따라 분류하여 빈칸에 번호를 쓰세요.

분류	老人	少年
번호	③, ⑤, ⑥	①, ②, ④, ⑦

2 그림의 ①~⑯까지의 사람을 다음과 같이 분류할 때 빈칸에 들어갈 알맞은 낱말을 한자로 쓰세요.

분류	( )	여자
번호	①, ②, ④, ⑤, ⑦, ⑩, ⑫, ⑯	③, ⑥, ⑧, ⑨, ⑪, ⑬, ⑭, ⑮

답 男 子

3 그림에서 다음 조건 을 모두 만족시키는 사람에 ✓표 하세요.

조건   · 老人   · 男子   · 歌手

92 · 똑똑한 하루 한자

3단계-B 2주 · 93

정답

096~097쪽

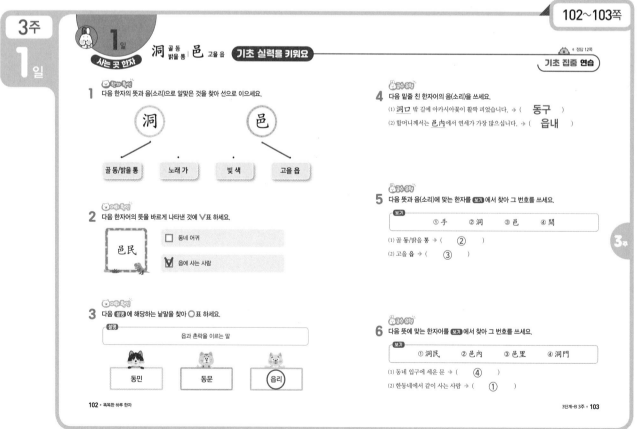

102~103쪽

3주

2일

2일 사는 곳 한자 村 마을 촌 | 里 마을 리 **기초 실력을 키워요**

정답 13쪽

기초 집중 연습

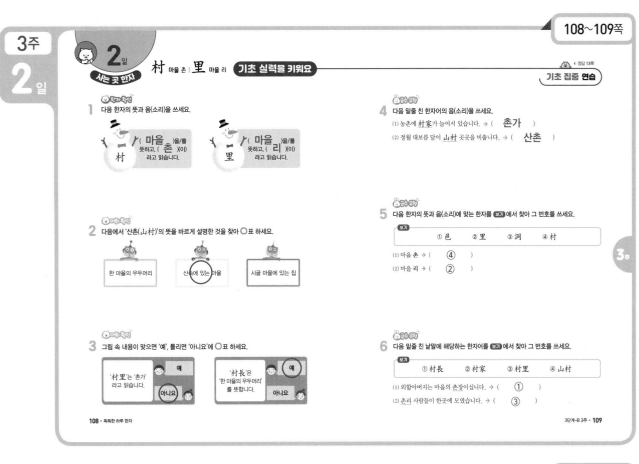

1 다음 한자의 뜻과 음(소리)을 쓰세요.

村 (마을)을/를 뜻하고, (촌)(이) 라고 읽습니다.

里 (마을)을/를 뜻하고, (리)(이) 라고 읽습니다.

2 다음에서 '산촌(山村)'의 뜻을 바르게 설명한 것을 찾아 ○표 하세요.

한 마을의 우두머리

산속에 있는 마을

시골 마을에 있는 집

3 그림 속 내용이 맞으면 '예', 틀리면 '아니요'에 ○표 하세요.

'村里'는 '촌가' 라고 읽습니다. | 예 / 아니요

'村長'은 '한 마을의 우두머리' 를 뜻합니다. | 예 / 아니요

4 다음 밑줄 친 한자어의 음(소리)을 쓰세요.

(1) 농촌에 村家가 늘어서 있습니다. → (촌가)

(2) 정월 대보름 달이 山村 곳곳을 비춥니다. → (산촌)

5 다음 한자의 뜻과 음(소리)에 맞는 한자를 보기 에서 찾아 그 번호를 쓰세요.

보기

① 邑 ② 里 ③ 洞 ④ 村

(1) 마을 촌 → (④)

(2) 마을 리 → (②)

6 다음 밑줄 친 낱말에 해당하는 한자어를 보기 에서 찾아 그 번호를 쓰세요.

보기

① 村長 ② 村家 ③ 村里 ④ 山村

(1) 외할아버지는 마을의 촌장이십니다. → (①)

(2) 촌리 사람들이 한곳에 모였습니다. → (③)

108 · 똑똑한 하루 한자

3단계-B 3주 · 109

3주

3일

3일 사는 곳 한자 住 살 주 | 民 백성 민 **기초 실력을 키워요**

정답 13쪽

기초 집중 연습

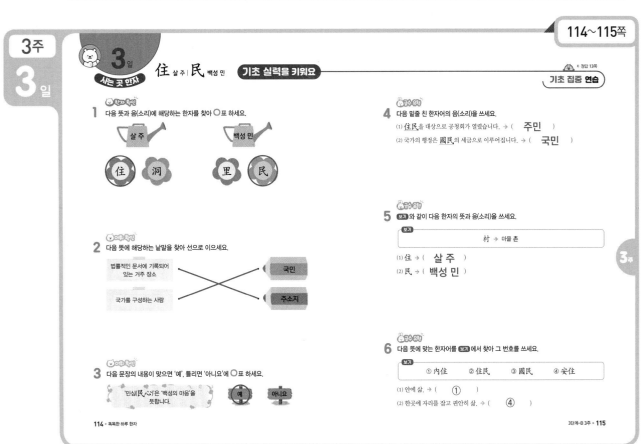

1 다음 뜻과 음(소리)에 해당하는 한자를 찾아 ○표 하세요.

살 주 → 住 / 洞

백성 민 → 里 / 民

2 다음 뜻에 해당하는 낱말을 찾아 선으로 이으세요.

법률적인 문서에 기록되어 있는 거주 장소 ─ 국민

국가를 구성하는 사람 ─ 주소지

3 다음 문장의 내용이 맞으면 '예', 틀리면 '아니요'에 ○표 하세요.

'민심(民心)'은 '백성의 마음'을 뜻합니다. | 예 / 아니요

4 다음 밑줄 친 한자어의 음(소리)을 쓰세요.

(1) 住民을 대상으로 공청회가 열렸습니다. → (주민)

(2) 국가의 행정은 國民의 세금으로 이루어집니다. → (국민)

5 보기 와 같이 다음 한자의 뜻과 음(소리)을 쓰세요.

보기

村 → 마을 촌

(1) 住 → (살 주)

(2) 民 → (백성 민)

6 다음 뜻에 맞는 한자어를 보기 에서 찾아 그 번호를 쓰세요.

보기

① 內住 ② 住民 ③ 國民 ④ 安住

(1) 안에 삶. → (①)

(2) 한곳에 자리를 잡고 편안히 삶. → (④)

114 · 똑똑한 하루 한자

3단계-B 3주 · 115

3단계-B 정답 · 13

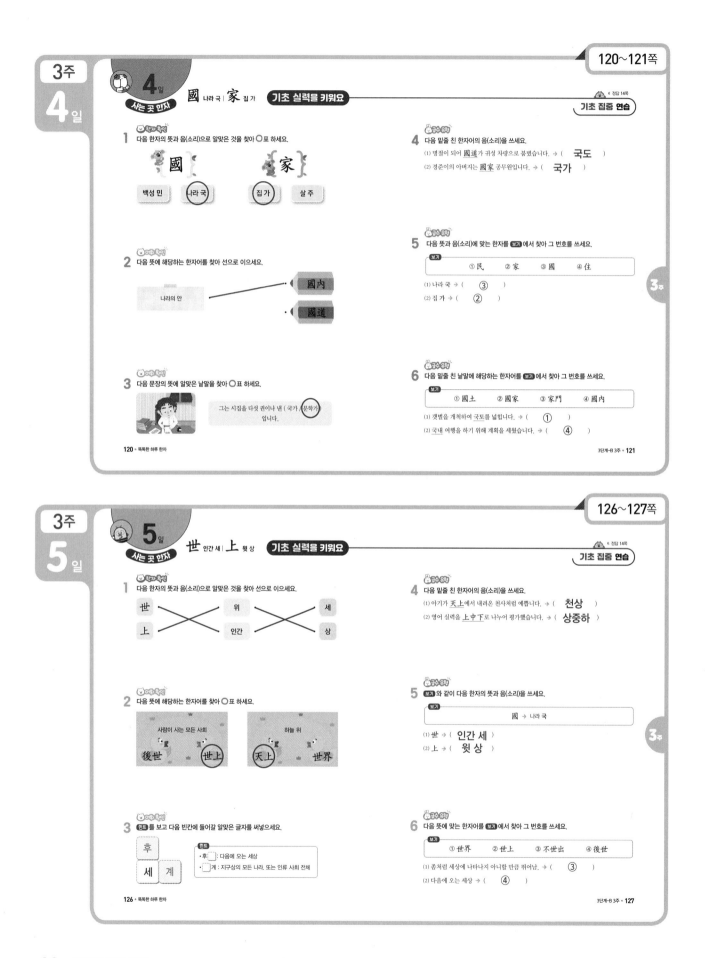

3주 TEST

정답 15쪽
맞은 개수 /10개

1 다음 그림이 나타내는 한자를 선으로 이으세요.

洞 ·
民 ·

2 다음 밑줄 친 한자어의 음(소리)을 쓰세요.

邑內 시골 장터에서 사과를 샀습니다.

→ (읍내)

3 보기 와 같이 다음 한자의 뜻과 음(소리)를 쓰세요.

보기
村 → 마을 촌

● 里 → (마을 리)

4 다음 ☐ 안에 들어갈 한자어를 보기 에서 찾아 그 번호를 쓰세요.

보기
① 內住 ② 村家 ③ 國家

● ☐☐가 삼삼오오 모여 있습니다. → (②)

5 다음 ☐ 안에 들어갈 한자를 보기 에서 찾아 그 번호를 쓰세요.

보기
① 村 ② 邑 ③ 住

● 가정의 화목함 속에서 安☐의 평화를 느낍니다. → (③)

6 다음 밑줄 친 낱말에 해당하는 한자어를 보기 에서 찾아 그 번호를 쓰세요.

보기
① 國民 ② 山村 ③ 國道

● 나는 대한민국 국민입니다. → (①)

7 다음 한자의 뜻을 보기 에서 찾아 그 번호를 쓰세요.

보기
① 인간 ② 집 ③ 나라

(1) 國 → (③)
(2) 家 → (②)

8 다음 뜻에 해당하는 한자어를 찾아 선으로 이으세요.

하늘 위

· 世上
· 天上

9 다음 십자말풀이를 보고 ☐ 안에 들어갈 알맞은 한자를 보기 에서 찾아 그 번호를 쓰세요. → (①)

보기
① 國 ② 家 ③ 洞

☐ 내 →내: 나라의 안
토 →☐토: 나라의 땅

10 다음 밑줄 친 낱말에 해당하는 한자어를 보기 에서 찾아 그 번호를 쓰세요.

보기
① 洞門 ② 世上 ③ 住民

● 과학의 발달로 편리한 세상이 되었습니다. → (②)

3주 특강

창의·융합·코딩
3주 특강 생각을 키워요 ❶

정답 15쪽

📖 국어+한문 다음 만화를 읽고, 성어의 뜻을 생각해 보세요.

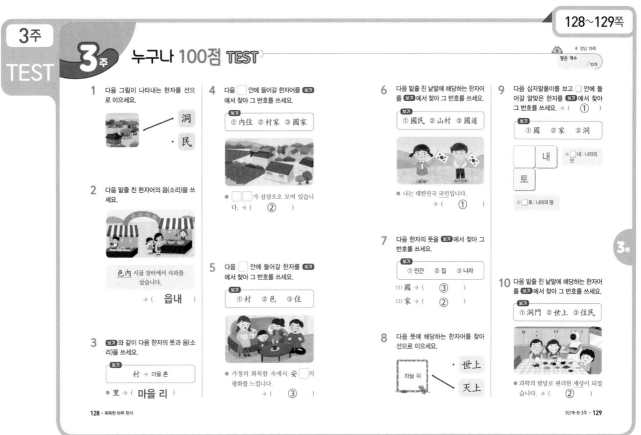

世上萬事
인간 세 윗 상 일만 만 일 사

◆ 성어의 뜻을 살펴보며 빈칸에 알맞은 한자를 채우세요.

세 상 만 사
世 上 萬 事

→ '세상의 만 가지 일'이라는 뜻으로, 세상에서 일어나는 온갖 일을 이르는 말

132~133쪽

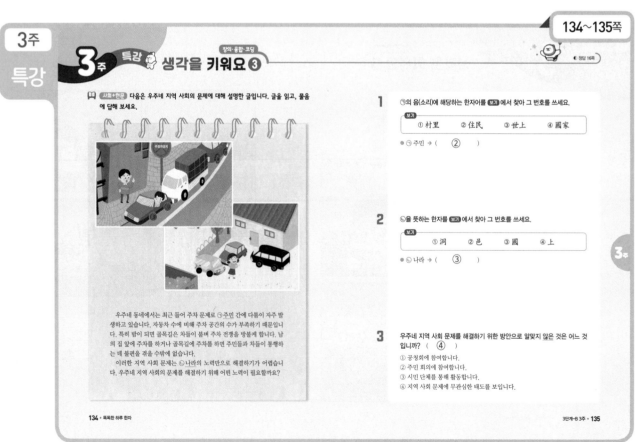

134~135쪽

4주
도입

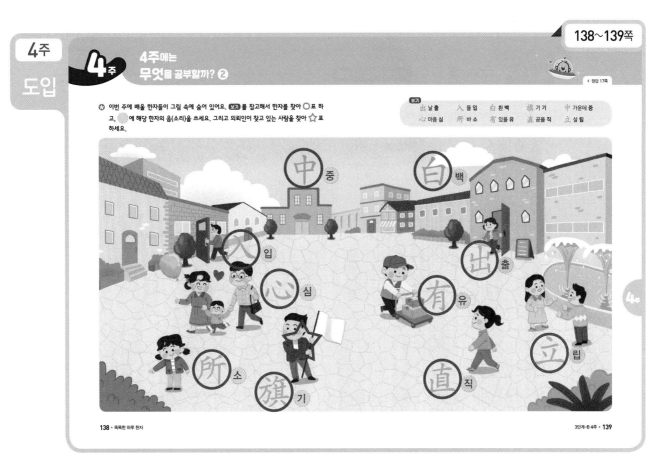

4주
1일

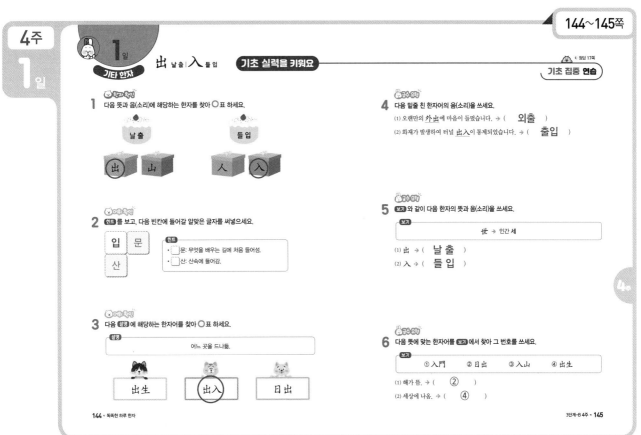

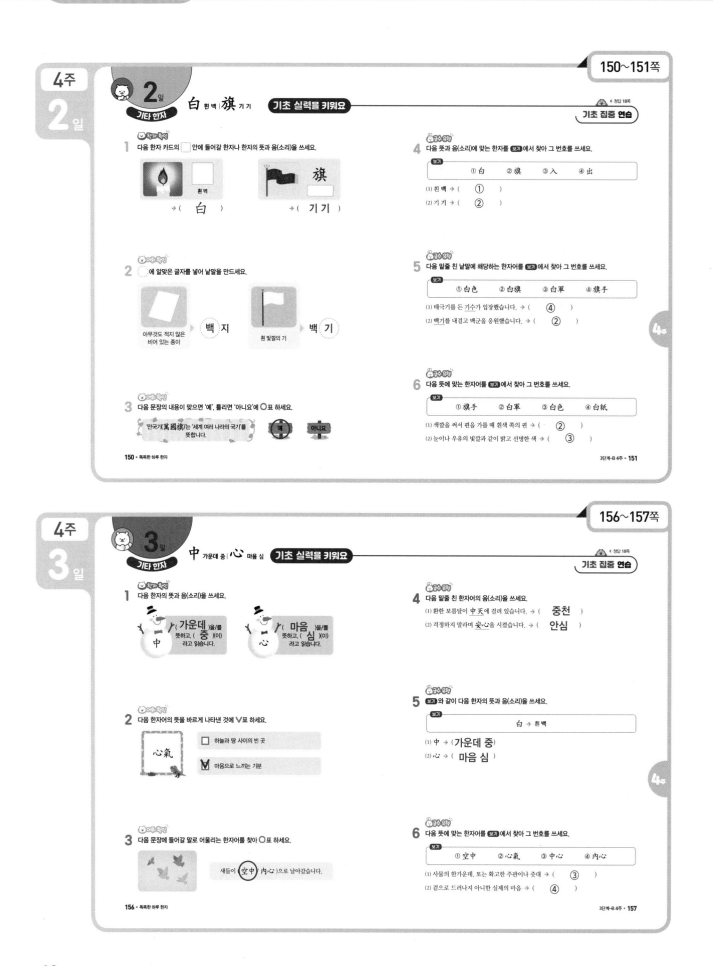

4주
2일

2일 기타 한자
白 흰 백 | 旗 기 기

기초 실력을 키워요

◀ 정답 18쪽

기초 집중 연습

1 다음 한자 카드의 □ 안에 들어갈 한자나 한자의 뜻과 음(소리)을 쓰세요.

흰 백
→ (白)

旗
→ (기 기)

2 ○에 알맞은 글자를 넣어 낱말을 만드세요.

아무것도 적지 않은 비어 있는 종이 → 백 지

흰 빛깔의 기 → 백 기

3 다음 문장의 내용이 맞으면 '예', 틀리면 '아니요'에 ○표 하세요.

'만국기萬國旗'는 '세계 여러 나라의 국기'를 뜻합니다.
예 아니요

4 다음 뜻과 음(소리)에 맞는 한자를 보기에서 찾아 그 번호를 쓰세요.

보기
① 白   ② 旗   ③ 入   ④ 出

(1) 흰 백 → (①)
(2) 기 기 → (②)

5 다음 밑줄 친 낱말에 해당하는 한자어를 보기에서 찾아 그 번호를 쓰세요.

보기
① 白色   ② 白旗   ③ 白軍   ④ 旗手

(1) 태극기를 든 기수가 입장했습니다. → (④)
(2) 백기를 내걸고 백군을 응원했습니다. → (②)

6 다음 뜻에 맞는 한자어를 보기에서 찾아 그 번호를 쓰세요.

보기
① 旗手   ② 白軍   ③ 白色   ④ 白紙

(1) 색깔을 써서 편을 가를 때 흰색 쪽의 편 → (②)
(2) 눈이나 우유의 빛깔과 같이 밝고 선명한 색 → (③)

150 • 똑똑한 하루 한자

3단계-B 4주 • 151

4주
3일

3일 기타 한자
中 가운데 중 | 心 마음 심

기초 실력을 키워요

◀ 정답 18쪽

기초 집중 연습

1 다음 한자의 뜻과 음(소리)을 쓰세요.

中 (가운데)을/를 뜻하고, (중)(이)라고 읽습니다.

心 (마음)을/를 뜻하고, (심)(이)라고 읽습니다.

2 다음 한자어의 뜻을 바르게 나타낸 것에 ∨표 하세요.

心氣
□ 하늘과 땅 사이의 빈 곳
∨ 마음으로 느끼는 기분

3 다음 문장에 들어갈 말로 어울리는 한자어를 찾아 ○표 하세요.

새들이 (空中 内心)으로 날아갔습니다.

4 다음 밑줄 친 한자어의 음(소리)을 쓰세요.

(1) 환한 보름달이 中天에 걸려 있습니다. → (중천)
(2) 걱정하지 말라며 安心을 시켰습니다. → (안심)

5 보기와 같이 다음 한자의 뜻과 음(소리)을 쓰세요.

보기
白 → 흰 백

(1) 中 → (가운데 중)
(2) 心 → (마음 심)

6 다음 뜻에 맞는 한자어를 보기에서 찾아 그 번호를 쓰세요.

보기
① 空中   ② 心氣   ③ 中心   ④ 内心

(1) 사물의 한가운데, 또는 확고한 주관이나 줏대 → (③)
(2) 겉으로 드러나지 아니한 실제의 마음 → (④)

156 • 똑똑한 하루 한자

3단계-B 4주 • 157

4주 4일

4일 기타 한자 所 바소 | 有 있을 유 **기초 실력을 키워요** ▸ 정답 19쪽

기초 집중 연습

한자 확인

1 다음 한자의 뜻과 음(소리)으로 알맞은 것을 찾아 ○표 하세요.

所

적을 소 | (바 소)

有

(있을 유) | 기 기

어휘 확인

2 다음 뜻에 해당하는 한자어를 찾아 선으로 이으세요.

이름이 널리 알려져 있음. — 場所

어떤 일이 이루어지거나 일어나는 곳 — 有名

어휘 확인

3 그림의 속 내용이 맞으면 '예', 틀리면 '아니요'에 ○표 하세요.

'有力'은 '유력'이라고 읽습니다. → (예) / 아니요

'所有'는 '가지고 있음.'을 뜻합니다. → (예) / 아니요

급수 한자

4 다음 뜻과 음(소리)에 맞는 한자를 보기 에서 찾아 그 번호를 쓰세요.

보기
① 有 ② 所 ③ 心 ④ 中

(1) 바 소 → (②)
(2) 있을 유 → (①)

급수 한자

5 다음 밑줄 친 낱말에 해당하는 한자어를 보기 에서 찾아 그 번호를 쓰세요.

보기
① 有名 ② 所有 ③ 場所 ④ 住所

(1) 내비게이션에 주소를 입력했습니다. → (④)
(2) 이 정원은 개인이 소유하고 있습니다. → (②)

급수 한자

6 다음 뜻에 맞는 한자어를 보기 에서 찾아 그 번호를 쓰세요.

보기
① 所有 ② 有力 ③ 名所 ④ 有名

(1) 가능성이 큼. → (②)
(2) 경치나 유적, 특산물 등으로 널리 알려진 곳 → (③)

162 ・ 똑똑한 하루 한자　　　　3단계-B 4주 ・ 163

4주 5일

5일 기타 한자 直 곧을 직 | 立 설 립 **기초 실력을 키워요** ▸ 정답 19쪽

기초 집중 연습

한자 확인

1 다음 한자의 뜻과 음(소리)으로 알맞은 것을 찾아 선으로 이으세요.

立 — 서다 — 직
直 — 곧다 — 립

어휘 확인

2 다음 뜻에 해당하는 한자어를 찾아 선으로 이으세요.

꼿꼿하게 바로 섬. — 直立

正直

어휘 확인

3 낱말판에서 설명 에 해당하는 낱말을 찾아 ○표 하세요.

입	장	중
지	직	립
립	후	정

설명
어떤 일이 있고 난 바로 다음

급수 한자

4 다음 밑줄 친 한자어의 음(소리)을 쓰세요.

(1) 둘 사이의 立場 차이를 좁히려고 노력했습니다. → (입장)
(2) 그는 문학계에서 立地가 최고입니다. → (입지)

급수 한자

5 보기 와 같이 다음 한자의 뜻과 음(소리)을 쓰세요.

보기
有 → 있을 유

(1) 直 → (곧을 직)
(2) 立 → (설 립)

급수 한자

6 다음 뜻에 맞는 한자어를 보기 에서 찾아 그 번호를 쓰세요.

보기
① 正直 ② 直立 ③ 中立 ④ 直後

(1) 마음에 거짓이나 꾸밈이 없이 바르고 곧음. → (①)
(2) 어느 편에도 치우치지 않고 중간적인 입장에 섬. → (③)

168 ・ 똑똑한 하루 한자　　　　3단계-B 4주 ・ 169

4주
TEST

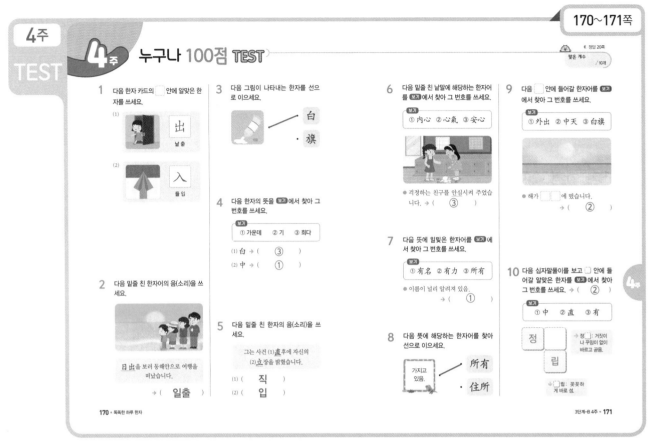

4주
특강

4주 특강 🤖 생각을 키워요 ❷

창의·융합·코딩

● 정답 21쪽

코딩+한문 버튼을 누르면 춤을 추는 로봇이 있습니다. 다음 조건 에 따라 로봇을 동작시킨 결과를 보고, 각 동작에 해당하는 버튼 색을 칠해 보세요.

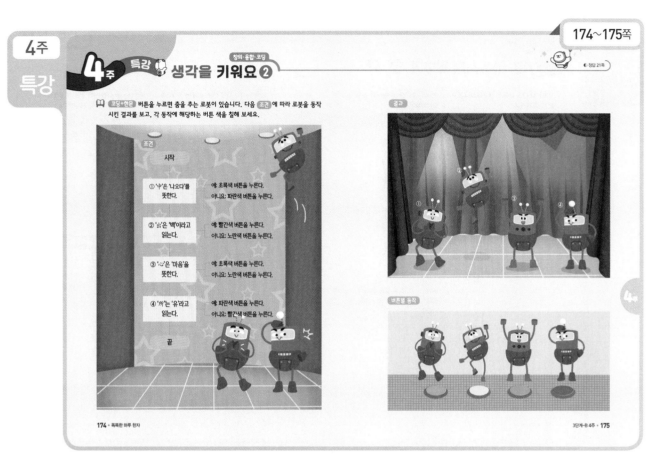

4주 특강 🤖 생각을 키워요 ❸

창의·융합·코딩

● 정답 21쪽

과학+한문 다음은 척추와 무게 중심에 관한 글입니다. 글을 읽고, 물음에 답해 보세요.

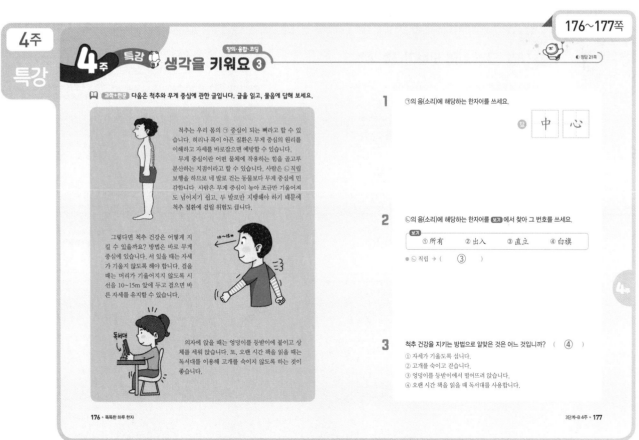

척추는 우리 몸의 ㉠ 중심이 되는 뼈라고 할 수 있습니다. 허리나 목이 아픈 질환은 무게 중심의 원리를 이해하고 자세를 바로잡으면 예방할 수 있습니다.
무게 중심이란 어떤 물체에 작용하는 힘을 골고루 분산하는 지점이라고 할 수 있습니다. 사람은 ㉡ 직립 보행을 하므로 네 발로 걷는 동물보다 무게 중심에 민감합니다. 사람은 무게 중심이 높아 조금만 기울어져도 넘어지기 쉽고, 두 발로만 지탱해야 하기 때문에 척추 질환에 걸릴 위험도 큽니다.

그렇다면 척추 건강은 어떻게 지킬 수 있을까요? 방법은 바로 무게 중심에 있습니다. 서 있을 때는 자세가 기울지 않도록 해야 합니다. 걸을 때는 머리가 기울어지지 않도록 시선을 10~15m 앞에 두고 걸으면 바른 자세를 유지할 수 있습니다.

의자에 앉을 때는 엉덩이를 등받이에 붙이고 상체를 세워 앉습니다. 또, 오랜 시간 책을 읽을 때는 독서대를 이용해 고개를 숙이지 않도록 하는 것이 좋습니다.

1 ㉠의 음(소리)에 해당하는 한자어를 쓰세요.

답 中 心

2 ㉡의 음(소리)에 해당하는 한자어를 보기 에서 찾아 그 번호를 쓰세요.

보기
① 所有　②出入　③直立　④白旗

● ㉡ 직립 → (③)

3 척추 건강을 지키는 방법으로 알맞은 것은 어느 것입니까? (④)
① 자세가 기울도록 섭니다.
② 고개를 숙이고 걷습니다.
③ 엉덩이를 등받이에서 떨어뜨려 앉습니다.
④ 오랜 시간 책을 읽을 때 독서대를 사용합니다.

7급 급수 시험

7급 급수 시험 맛보기 ①회

◀ 정답 22쪽

[문제 1~5] 다음 밑줄 친 漢字語한자어의 음(音: 소리)을 쓰세요.

보기
漢字 → 한자

1 작년에 이어 올해도 農事가 풍년입니다.
(농사)

2 이곳은 出入이 불가능합니다.
(출입)

3 우리 食口는 총 네 명입니다.
(식구)

4 온 世上이 눈으로 덮였습니다.
(세상)

5 오랜만에 三寸이 우리 집에 놀러 오셨습니다.
(삼촌)

[문제 6~9] 다음 漢字한자의 訓(훈: 뜻)과 음(音: 소리)을 쓰세요.

보기
字 → 글자 자

6 國 (나라 국)

7 白 (흰 백)

8 旗 (기 기)

9 手 (손 수)

[문제 10~11] 다음 밑줄 친 漢字語한자어를 보기에서 골라 그 번호를 쓰세요.

보기
① 工夫　② 邑內
③ 有力　④ 立地

10 나는 열심히 공부하여 시험에 합격하였습니다.
(①)

11 그는 유력한 회장 후보입니다.
(③)

[문제 12~14] 다음 訓(훈: 뜻)과 음(音: 소리)에 맞는 漢字한자를 보기에서 골라 그 번호를 쓰세요.

보기
① 先　② 里　③ 間　④ 心

12 먼저 선 (①)

13 사이 간 (③)

14 마을 리 (②)

[문제 15~16] 다음 漢字한자의 상대 또는 반대되는 漢字한자를 보기에서 찾아 그 번호를 쓰세요.

보기
① 人　② 老　③ 家　④ 父

15 (②) ↔ 少

16 (④) ↔ 母

[문제 17~18] 다음 뜻에 맞는 漢字語한자어를 보기에서 골라 그 번호를 쓰세요.

보기
① 男女　② 山村
③ 洞門　④ 面色

17 얼굴에 나타나는 표정이나 빛깔
(④)

18 동네 입구에 세운 문 (③)

[문제 19~20] 다음 漢字한자의 진하게 표시된 획은 몇 번째 쓰는지 보기에서 찾아 그 번호를 쓰세요.

보기
① 첫 번째　② 두 번째
③ 세 번째　④ 네 번째

19 中 (③)

20 民 (④)

7급 급수 시험

7급 급수 시험 맛보기 ②회

◀ 정답 22쪽

[문제 1~5] 다음 밑줄 친 漢字語한자어의 음(音: 소리)을 쓰세요.

보기
漢字 → 한자

1 화살이 과녁의 中心을 맞추었습니다.
(중심)

2 밭에서 農夫들이 열심히 일을 하고 있습니다.
(농부)

3 우리나라에는 先祖들의 위대한 발명품이 많습니다.
(선조)

4 오늘은 住民 회의가 있는 날입니다.
(주민)

5 주말에 父母님과 함께 등산을 하였습니다.
(부모)

[문제 6~9] 다음 漢字한자의 訓(훈: 뜻)과 음(音: 소리)을 쓰세요.

보기
字 → 글자 자

6 里 (마을 리)

7 立 (설 립)

8 家 (집 가)

9 歌 (노래 가)

[문제 10~11] 다음 밑줄 친 漢字語한자어를 보기에서 골라 그 번호를 쓰세요.

보기
① 白旗　② 天上
③ 人間　④ 有名

10 백기를 흔들며 백군을 응원했습니다.
(①)

11 그녀는 유명한 가수입니다.
(④)

[문제 12~14] 다음 訓(훈: 뜻)과 음(音: 소리)에 맞는 漢字한자를 보기에서 골라 그 번호를 쓰세요.

보기
① 邑　② 色　③ 村　④ 口

12 빛 색 (②)

13 고을 읍 (①)

14 입 구 (④)

[문제 15~16] 다음 漢字한자의 상대 또는 반대되는 漢字한자를 보기에서 찾아 그 번호를 쓰세요.

보기
① 女　② 少　③ 手　④ 入

15 (①) ↔ 男

16 (④) ↔ 出

[문제 17~18] 다음 뜻에 맞는 漢字語한자어를 보기에서 골라 그 번호를 쓰세요.

보기
① 國土　② 正直
③ 老後　④ 名所

17 거짓이나 꾸밈이 없이 바르고 곧음.
(②)

18 늙어진 뒤 (③)

[문제 19~20] 다음 漢字한자의 진하게 표시된 획은 몇 번째 쓰는지 보기에서 찾아 그 번호를 쓰세요.

보기
① 세 번째　② 네 번째
③ 다섯 번째　④ 여섯 번째

19 面 (③)

20 洞 (①)

memo

memo

국가공인 한자자격시험 교재

한자자격시험은 기초 한자와 교과서 한자어를 함께 평가
하여 자격증 취득 시 자신감은 물론 사고력과 어휘력, 교과
학습 능력까지 향상됩니다.

8급	50字
7급	120字
6급	170字
5급	450字

씽씽 한자자격시험만의 **100% 합격** 비결!

① 들으면 술술 외워지는 한자 동요 MP3 제공
② 보면 저절로 외워지는 한자 연상 그림 제시
③ 실력별 나만의 공부 계획 가능
④ 최신 기출 및 예상 문제 수록
⑤ 놀면서 공부하는 급수별 한자 카드 제공

• 권장 학년: [8급] 초등 1학년 [7급] 초등 2,3학년
[6급] 초등 4,5학년 [5급] 초등 6학년

국가공인 한자능력검정시험 교재

한자능력검정시험은 올바른 우리말 사용을 위한 급수별 기초 한자를 평가합니다.
자격증 취득 시 자신감은 물론 사고력과 어휘력이 향상됩니다.

8급 50字

7급II 100字   7급 150字

6급II 225字   6급 300字

• 권장 학년: 초등 1학년
• 권장 학년: 초등 2,3학년
• 권장 학년: 초등 4,5학년

5급II 400字   5급 500字

4급 1,000字

3급 1,817字

• 권장 학년: 초등 6학년
• 권장 학년: 중학생
• 권장 학년: 고등학생

정답은
이안에
있어!

기초 학습능력 강화 프로그램
매일 조금씩 공부력 UP!

국어
예비초~초6

수학
예비초~초6

영어
예비초~초6

**봄·여름
가을·겨울**

(바·슬·즐)
초1~초2

안전

초1~초2

사회·과학
초3~초6

배움으로 행복한 내일을 꿈꾸는
천재교육 커뮤니티 안내

. . .

 교재 안내부터 구매까지 한 번에!
천재교육 홈페이지

천재교육 홈페이지에서는 자사가 발행하는 참고서,
교과서에 대한 소개는 물론 도서 구매도 할 수 있습니다.
회원에게 지급되는 별을 모아 다양한 상품 응모에도
도전해 보세요.

 구독, 좋아요는 필수! 핵유용 정보 가득한
천재교육 유튜브 <천재TV>

신간에 대한 자세한 정보가 궁금하세요?
참고서를 어떻게 활용해야 할지 고민인가요?
공부 외 다양한 고민을 해결해 줄 채널이 필요한가요?
학생들에게 꼭 필요한 콘텐츠로 가득한 천재TV로 놀러 오세요!

 다양한 교육 꿀팁에 깜짝 이벤트는 덤!
천재교육 인스타그램

천재교육의 새롭고 중요한 소식을 가장 먼저 접하고 싶다면?
천재교육 인스타그램 팔로우가 필수!
누구보다 빠르고 재미있게 천재교육의 소식을 전달합니다.
깜짝 이벤트도 수시로 진행되니 놓치지 마세요!